A SORTE SEGUE A CORAGEM!

MARIO SERGIO CORTELLA

A SORTE SEGUE A CORAGEM!

oportunidades, competências e tempos de vida

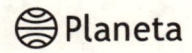

🌐 Planeta

Copyright © Mario Sergio Cortella, 2018
Copyright © Editora Planeta do Brasil, 2018
Todos os direitos reservados.

Editor para o autor: Paulo Jebaili
Preparação: Ricardo Jensen
Revisão: Nana Rodrigues e Maria Aiko Nishijima
Diagramação: Vivian Oliveira
Capa: Mateus Valadares

CIP-BRASIL. CATALOGAÇÃO NA PUBLICAÇÃO
SINDICATO NACIONAL DOS EDITORES DE LIVROS, RJ

C856s

Cortella, Mario Sergio, 1954-
  A sorte segue a coragem / Mario Sergio Cortella. - 1. ed. - São Paulo: Planeta, 2018.

  ISBN 978-85-422-1234-1

  1. Teoria do autoconhecimento. 2. Autorrealização (Psicologia). 3. Motivação (Psicologia). I. Título.

17-46531   CDD: 158.1
                                                              CDU: 159.947

Ao escolher este livro, você está apoiando o manejo responsável das florestas do mundo

2023
Todos os direitos desta edição reservados à
EDITORA PLANETA DO BRASIL LTDA.
Rua Bela Cintra, 986 – 4º andar
01415-002 – Consolação – São Paulo-SP
www.planetadelivros.com.br
faleconosco@editoraplaneta.com.br

"Se agarrares o momento antes que ele esteja maduro, as lágrimas do arrependimento tu decerto colherás; mas, se o momento certo alguma vez deixares escapar, as lágrimas do pesar tu jamais apagarás."

(William Blake, *Poemas completos*)

SUMÁRIO

A SORTE SEGUE A CORAGEM? 9

1. ÊXITOS E FRACASSOS: SERÁ O DESTINO? 15
2. O DESTINO ME PERSEGUE? 23
3. A OCASIÃO FAZ O PADRÃO 31
4. A PESSOA CERTA NO LUGAR CERTO, NA HORA CERTA 39
5. CORAGEM NÃO É IMPULSIVIDADE! 47
6. SORTE, INICIATIVA E ÉTICA 57
7. A HORA É AGORA! 65
8. CASUALIDADES OPORTUNAS 75
9. E QUANDO A HORA NÃO É AGORA? 83
10. PLANEJAR, ESCOLHER, ABDICAR 93

11. TECNOLOGIA, OCUPAÇÃO E TÉDIO AUSENTE 101
12. ESTOQUE DE CONHECIMENTO, PARTILHA E HUMILDADE 109
13. PENSAR SOBRE MIM, PENSAR MINHAS RAZÕES 117
14. TEMPO: APROVEITAR PARA NÃO PERDER! 125
15. TEMPO LIVRE, COMPETÊNCIA E INVENTIVIDADE 133
16. O TEMPO PASSA MAIS DEPRESSA? 141
17. GERAÇÕES, CONVIVÊNCIA E OPORTUNIDADE RECÍPROCA 149
18. O TEMPO PASSA; E NÓS? 157
19. DECREPITUDES, SENILIDADES, VITALIDADES! 167
20. FINITUDES INFINITAS, INFINITUDES FINITAS 177

LEGADO E LEGADOS 185

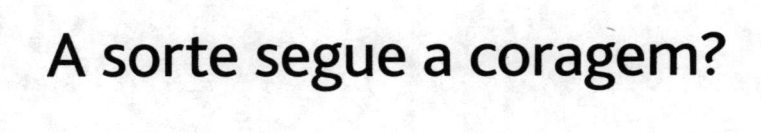

A sorte segue a coragem?

Uma das coisas que mais preocupam é o hábito de algumas pessoas atribuírem a forças externas, quase que místicas ou mágicas, os acontecimentos favoráveis ou desfavoráveis na vida delas. Claro que existem situações que podem ser prejudiciais e que não dependem do desejo ou da procura da pessoa. Assim como há muitas circunstâncias que podem beneficiá-la sem que ela necessariamente as tenha procurado.

Por vezes, empreendemos ações com determinada intenção e o resultado não aparece ou não da maneira esperada. Outras vezes, não despendemos energia em busca de algo que acaba se realizando. Aquilo que eu não procurei e veio – seja bom ou mau – e aquilo que eu procurei e não veio – seja bom ou mau.

Nesse sentido, a percepção de sorte se aproximaria de uma bênção, como se a pessoa fosse apaniguada, agraciada com uma proteção especial e, portanto, recebedora de um favorecimento.

A ideia de que existe uma força que independe da intenção, que cuida, protege (ou pelo menos o fez em determinada situação), ultrapassa a nossa capacidade de ação e até os limites do mundo humano.

Essa circunstância é uma casualidade positiva, assim como existe a casualidade negativa.

Por isso, a ideia de sorte está, em grande medida, ligada ao fato de não compreendermos os motivos pelos quais as coisas acontecem. Alguns povos usam a expressão "sorte" tanto no sentido positivo quanto no negativo. Seu significado seria muito mais próximo de ocasião, circunstância.

Em sua obra, o filósofo italiano Maquiavel (1469--1527) trabalhou os conceitos de *fortuna*, que é o acaso, a sorte (favorável ou desfavorável), e *virtù*, o gesto deliberado, intencional, em busca de realizar, de empreender, de ordenar as coisas.

A ocasião pode surgir como resultante de eventos sincrônicos, mas é preciso estar preparado para aproveitá-la. E preparado nos dois sentidos que a palavra pode ter: **disponível para buscar** e **competente para fazê-lo**.

Nós temos de criar as nossas condições para lidar com a ocasião, nós temos tempo para o fazer, mas não temos todo o tempo do mundo...

A coragem não é uma disposição eufórica!

É necessário partir do pressuposto de que, se há despreparo, não é coragem, mas sim uma atitude temerária, impulsiva e leviana.

A concepção de coragem se refere a uma força virtual (no sentido de que tem potencial para se realizar), que se dá de forma organizada e consciente. Essa força se caracteriza por ser uma disponibilidade, uma inclinação para uma ação eficaz, mas que precisa estar estruturada.

Imaginar que coragem é meramente essa euforia preparatória e que seria suficiente para lançar-se em alguma atividade só faz aumentar a probabilidade de desastre.

Por isso, a sorte segue, sim, a coragem!

CAPÍTULO 1

Êxitos e fracassos: será o destino?

*"Muitos pensam que ter talento é sorte;
não vem à mente de ninguém que
a sorte pode ser uma questão de talento."*
(Jacinto Benavente y Martínez, *Vidas cruzadas*)

No mundo ocidental (embora não exclusivamente), nós temos o ritual de chamar os deuses a nosso favor. Ainda na Antiguidade, os gregos, antes de começarem uma ação, uma conversa, uma batalha, um casamento, invocavam a proteção dos astros para aquele evento. Em latim, isso gerou uma expressão vinda do grego que é "considerações". *Sidera* vem dos astros, daí espaço "sideral". Considerar é chamar os astros, os deuses, no caso as forças superiores a nós, para que venham em nosso auxílio. Por isso, chamando "os astros", o que sucederá e o que será dificultado, ganha uma origem exterior ao mundo humano; a ideia de sorte aparece de vários modos na nossa cultura.

Por exemplo, olhem-se as antigas histórias de Walt Disney, presentes em muitas gerações desde meados do século 20, especialmente aquelas que tocam nos temas dinheiro, riqueza, sucesso. Há um estudo publicado em 1975 como "Tio Patinhas no centro do universo", do sociólogo José de Souza Martins, no qual ele analisa três personagens que convivem com perspectivas e resultados de vida diferentes, mesmo estando no mesmo mundo e interagindo com as mesmas condições. O Peninha ilustra a pessoa criativa, que tem iniciativa, mas nada dá certo porque é desastrado. O Donald é esforçado, dedicado, mas não é um sujeito bem-sucedido porque não tem sorte. Já o Gastão não precisa fazer nada e é sempre beneficiado pelas circunstâncias; como tem o "dom" da sorte, as coisas vêm até ele. E isso, para muitas pessoas, já seria uma explicação. Peninha, o desadaptado; Donald, o azarado; Gastão, o sortudo. E, assim, tudo fica explicado para justificar êxitos e fracassos.

    O aspecto sorte aparece em outras histórias. Ali Babá descobre, por acaso, não só a caverna onde ficam os tesouros como a palavra que dá acesso àquela fortuna. Ou a má sorte de Caim, que faz uma fogueira para que a fumaça levasse suas ofertas a Javé, mas a fumaça se dispersa, bem diferente da feita pelo irmão, Abel, que atingia as alturas. Caim se entendia como alguém amaldiçoado, capturado por uma aura de maldade. Em desenhos animados ou quadrinhos, há a conhecida imagem da nuvenzinha pesada em cima da pessoa, quando as situações estão desfavoráveis e tudo dá errado.

    A palavra "sorte" funciona como um racional muito forte, no sentido de que as pessoas a usam como explicação para o próprio fracasso e para o sucesso alheio. Dificilmente há o inverso, a expressão sorte usada para justificar o próprio sucesso. O "meu" sucesso resulta do esforço, da "minha" capacidade. A noção de sorte é um grande modo de amparar situações em que não houve dedicação, esforço, inteligência, competência e habilidade naquilo que se fazia.

"Eu não tenho sorte, meu casamento vai mal." A famosa frase "feliz no jogo, infeliz no amor" imprime uma ideia de que existe uma porção de sorte – uma cota que pode ser maior ou menor –, mas que é um recurso esgotável. Se tem sorte no jogo, não vai se dar bem no amor. Algumas versões dão conta de que a origem dessa frase estaria no fato de que quem ganhava nos dados ou nas cartas não ia para casa, mas para a taberna, local onde a patifaria era rotineira...

Todas essas formulações têm por trás a suposição da existência de forças que, anteriores e superiores a nós, podem nos beneficiar ou nos prejudicar. Assim sendo, a iniciativa do indivíduo seria muito limitada. Esse tipo de pensamento se manifesta de diversos modos. "Aconteceu tanta coisa ruim no começo do ano que pelo menos estou protegido até dezembro." Como se houvesse uma cota de bênçãos e de maldições. E essas crenças contribuem para que ideias como "sorte no jogo, azar no amor" se perpetuem.

Quando se recebe algum agrado, logo se espera uma contrapartida. Um atleta que pode ter a boa fase interrompida por uma contusão. Um novo relacionamento que fica sob ameaça de ter seu encanto quebrado no primeiro atrito. O carro zero quilômetro é retirado da concessionária e já se cria a tensão da primeira raladinha. É como se esse incidente fosse o pedágio, o preço a ser pago para ficar mais protegido. Como uma colisão é algo possível quando se trata de movimentar veículos, seria bom que viesse logo para cumprir a cota de malefícios (ainda mais quando alimentada pela inveja alheia e por outras forças sobrenaturais).

Existe a ideia de que os deuses escolhem alguns indivíduos. E essa predileção se dá por motivos desconhecidos. Por isso, é desconcertante ver um grande patife tendo muita sorte, enquanto alguém de boa índole tem dificuldades para encontrar os caminhos abertos. Nas religiões, de maneira geral, a bênção vem pela capacidade de agradar à divindade (ou às divindades, no caso do politeísmo).

Nós não temos uma compreensão clara, lógica, das razões por que certos eventos acontecem. Somos um ser que precisa construir ordem, dado que a realidade, olhada em si, não faz todo o sentido.

Existem duas expressões do grego antigo que se opõem e que influenciaram muito a Filosofia, a ciência, o pensamento ocidental: o cosmos (*kósmos*) e o caos (*cháos*), a ordem e a desordem. Respectivamente, aquilo que confere sentido às coisas e aquilo que aparentemente não tem sentido. Nós não conseguimos viver em meio ao caos. Exemplo banal: você viaja e, logo ao entrar num quarto de hotel, procura deixar as coisas ao seu modo.

Muda objetos de lugar, põe a escova de dentes no banheiro, coloca os pertences no criado-mudo. Tudo para tentar deixar do seu jeito, isto é, colocar a sua ordem.

Como a vida é aparentemente caótica e as coisas não fazem sentido o tempo todo, temos necessidade de construir nossos polos de referência, precisamos explicar por que as coisas se sucedem de tal forma. Isto é, se eu sou vitimado ou protegido, benquisto ou malquisto no amor, na carreira, na convivência, no futebol, tem de haver uma explicação.

No ambiente do esporte, a presença de rituais é bastante frequente. De benzeduras à repetição da cueca ou da meia, tanto atletas e treinadores quanto torcedores recorrem a todo tipo de expediente para atrair forças protetoras. Nós vamos construindo rituais para atrair a sorte e adotamos símbolos para compor o nosso cotidiano. Pode ser carregar um objeto, um elemento da natureza, como um galho de arruda, ou fazer algum gesto ou sinal.

Cultivamos os nossos ritos, e, mesmo quando algo não sai do modo esperado, esses hábitos não são abandonados. Como dizia o cientista das religiões e filósofo romeno Mircea Eliade (1907-1986), o "rito reforça o mito". Um atleta tem algum rito e, ainda que sofra algum revés, que as coisas não deem certo, ele persiste naquela prática. Mesmo que o time esteja numa fase complicada no campeonato, o jogador de futebol faz o sinal da cruz ao entrar em campo, geralmente após tocar os dedos na grama.

As disputas são fortemente marcadas pela ideia de sorte. Tanto que boa parte dos jogos é chamada de "jogos de azar", aqueles em que se supõe que a interferência das forças externas é até maior que a ação dos competidores. O futebol não é chamado de jogo de azar, embora exista o bordão que o rotula como uma "caixinha de surpresas". Possivelmente, essa expressão circula porque existe o imponderável, a despeito de toda a preparação física, técnica e tática para as partidas. O jogador pode estar muito bem condicionado, em boa forma atlética, e atravessar uma fase em que tudo dá errado para ele. Ou não estar 100% fisicamente, ter algum incômodo por lesão, mas tudo dá certo. Mesmo quando não acerta o chute em cheio, a bola entra. Ou, mesmo com todos os jogadores na área, a bola sobra para ele balançar as redes.

Esse "tudo dá certo ou tudo dá errado" é o que a ciência chamaria de simultaneidade ou sincronicidade. Quando há uma conjunção de fatores que levam a determinado desfecho. Tudo deu certo! Estava no local exato, o zagueiro adversário falhou, o goleiro escorregou, a assistência veio precisa, ou seja, uma convergência de circunstâncias favoráveis. Tudo deu errado! O goleiro do time rival fechou o ângulo, a tentativa de tirar do alcance, a bola quicou na irregularidade do gramado, o chute não pegou do jeito desejado, gol perdido...

Era o destino?

CAPÍTULO 2

O destino me persegue?

*"Zeus não poderia desatar as redes /
de pedra que me cercam. / Esqueci os homens
que antes fui; / sigo o odiado caminho
de monótonas paredes, / que é meu destino."*
(Jorge Luis Borges, poema "O labirinto",
em *Elogio da sombra*)

Se o destino ou, de outro modo, o acaso nos atinge, imaginamos que dá para controlá-lo com rituais nada racionais, mas que nos oferecem alívio e diminuem a angústia.

    O rito é mantido porque seguimos uma lógica, por nós mesmos estruturada e introjetada, para explicar o que nos acontece de bom ou de ruim. Ela ganha um status de conduta protetiva e, portanto, não pode ser rompida. Ainda que o apelo à força não demonstre eficácia, nós não o abandonamos, por temor de desagradar ao que desconhecemos, que parece nos auxiliar ou prejudicar. Afinal, estamos lidando com forças que são anteriores a nós – e que não são impossíveis (no sentido de constituírem uma possibilidade), mas improváveis (por ser difícil comprovar sua existência).

    Ao adentrarmos esse campo, vamos mantendo nossos rituais, na suposição de que abandoná-los pode nos trazer algum mal, alguma danação. Criado esse vínculo, está formada uma relação de servidão. Somos incapazes de nos desconectarmos de alguns modos de ação.

Muitos deles são cultivados desde cedo. A criança que não deixa de fazer o sinal da cruz, senão o pai dela vai morrer. O sapato não pode ficar virado ou a entrada sempre com o pé direito em algum lugar. É como se houvesse uma ordem que não depende de nós. A palavra latina "sobrenatural" ou a grega "metafísica" expressam aquilo que vai além do mundo material. É curioso porque essa conduta de acepção mágica do mundo não depende tanto de escolaridade. Mesmo que a pessoa tenha uma formação intelectual mais sofisticada, portanto mais voltada para os ditames da ciência, pode cultivar seus rituais metafísicos, ter suas superstições.

Qual é o sentido disso? Não há. Ele é um sentido idiossincrático. De certa maneira, as ideias de danação ou de proteção são idiossincráticas. As pessoas vão construindo seus rituais à medida que vivem, e mesmo eventuais insucessos não anulam a prática.

Tanto que, quando um evento desfavorável acontece, a pergunta é: "O que eu fiz para merecer?". Na esteira desse questionamento inconformado, podem surgir outros tantos. Fiz para quem? Para o mundo? Fiz porque existe um roteiro? Ou eu estou fadado a seguir nesse caminho? É como se houvesse uma negociação com as forças. A expressão "por que logo eu?" sugere a existência de uma carga maléfica no mundo que tem de ser descarregada de algum modo. E por que direcionada logo a mim?

Meu pai, Antonio, contava, em tom divertido, um evento desagradável pelo qual passou: "Domingo de sol, Pacaembu lotado, 60 mil pessoas, a pomba vem e faz cocô justo na minha cabeça?". A gente ria, mas, no fundo, ele estava falando "o que eu fiz para merecer isso?". Num caso assim, a ciência vai lidar, como antes lembrado, com a ideia de sincronicidade, que faz sentido. Houve uma sincronicidade, isto é, meu pai estava sentado em determinado ponto do estádio e uma pomba, ao defecar, atingiria alguém, em decorrência de uma série de fatores: vento, ângulo, posição, velocidade... Não havia como meu pai ter controle sobre essas variáveis. Pode ser que, se o time dele tivesse marcado um gol e ele houvesse se levantado para abraçar alguém naquele exato instante, não fosse alvejado.

Anos atrás, em 1999, uma estudante morreu ao ser atingida pela queda de uma peça de guindaste numa obra na avenida Paulista. Grande discussão: é uma fatalidade? Mas essa fatalidade veio de onde? Aconteceu porque ela merecia? Porque havia chegado a hora dela?

Alguns falam "ninguém morre de véspera". O que é uma obviedade, mas funciona como uma frase mágica. Aliás, várias obviedades são ditas como se fossem explicação para aquilo que não controlamos. "Eu sou muito azarado, só acho o que estou procurando no último lugar em que eu procuro." O que é uma constatação óbvia. Todo ser humano, em sã consciência, procura até o último lugar. Ninguém, após achar algo, continua naquela ação. Mas se você fala isso, a pessoa do lado diz: "Ih, isso acontece comigo também". E forma-se aí um consórcio de irracionalidades.

Qual é a fonte dessa necessidade? A nossa postura insegura num universo imenso sobre o qual não temos controle. Por isso, algumas práticas, alguns rituais, parecem nos oferecer algum domínio, porque sugerem nos conectar com as forças.

O filósofo e escritor francês Voltaire (1694-1778), em sua clássica obra *Cândido*, criou a maravilhosa cena da batalha. Enquanto Cândido a atravessa, seu mestre Pangloss entabula uma série de falas para convencê-lo de que vive no melhor dos mundos. O cenário era de dois exércitos entoando seus *Te Deum*, suas louvações, rogando a proteção de Deus. Há uma grande questão nessa batalha, como em qualquer outra na vida: Deus vai escolher que lado? E por que vai fazê-lo? Ambos os lados que se enfrentam da forma mais radical que existe, que é uma guerra, usam seus rituais. Como atraem as preferências das forças sobrenaturais? Uns merecem e outros, não?

Nós não deixamos de lado os rituais; a inquietante pergunta, pensando na batalha, é "Deus escolhe qual lado vai vencer?". E, na esteira, outra questão: qual o critério que Deus ou os deuses têm para fazer escolhas? Não sabemos. Como não temos respostas, lançamos garrafas ao mar na esperança de encontrar a salvação daquilo que vive em algum lugar.

A ideia de sorte é uma explicação magnífica, porque faz com que não haja explicação. Ela é uma explicação que não explica. Porque ela simplesmente indica um fator improvável.

A sorte não explica nem é explicável; ela só justifica, isto é, parece tornar justo um êxito ou justo um revés.

Costumo brincar, ao falar de sorte, com um fato: jamais ganhei em loteria alguma, mas, também, nunca joguei em loteria alguma; sorte mesmo seria ganhar sem ter jogado, pois, jogando, entra-se na probabilidade de vencer, que vale para qualquer pessoa. Contudo, de novo se perguntaria: por que exatamente aquela pessoa estava com o bilhete ou número vencedor? Caminhamos para conceitos probabilísticos e estatísticos que não satisfazem nossa inconformidade com o que não nos beneficia...

No nosso convívio, cruzamos com pessoas que têm por hábito se lamuriar, lamentar o que aconteceu ou deixou de ocorrer com elas, por vezes até praguejando contra os desdobramentos da vida. São aquelas que se sentem perseguidas em diversas situações. O poeta gaúcho Mario Quintana (1906-1994), no livro *Espelho mágico* (1951), refere-se de modo divertido a esses queixosos: "Não tentes consolar o desgraçado / Que chora amargamente a sorte má. / Se o tirares por fim do seu estado / Que outra consolação lhe restará?".

Esses versos mostram que, de fato, existem muitas pessoas que usam esse argumento para se consolarem da má sorte, do mau trabalho, do mau relacionamento, dos rumos desoladores que a vida tomou. Em vez de fazerem algum esforço efetivo para mudar uma situação desfavorável, adotam esse expediente do resmungo. Trata-se de um choro conveniente, pois, em grande medida, se presta a justificar para elas mesmas as razões de seu fracasso.

O teólogo e filósofo Agostinho de Hipona (354-430), por muitos conhecido como Santo Agostinho, tem um texto que diz que "de dentro da prisão tem aquele que olha para o lado de fora para procurar o Sol e aquele que olha só o chão em que a grade se reflete".

Muita gente no mundo do trabalho assume um papel de vítima sacrificial. "Não me deixam avançar", "não querem", "não permitem". A pessoa que se enxerga nessa condição não consegue vislumbrar nada que a leve fora da desgraça, na suposição de que existem forças ocultas ou explícitas que a amarram.

Há um cabedal de justificativas para o insucesso: "eu tento, tento e não funciona", "eu não tenho sorte", "por mais que ande, eu não saio do lugar", "não dou pro negócio", "não sei fazer política", "não fico fazendo marketing pessoal", "sou muito sincero e acabo batendo de frente"...

Falta de sorte ou de coragem?

CAPÍTULO 3

A ocasião faz o padrão...

"Esforço vão! Indivíduo nenhum /
pode ir de encontro à época em que nasceu. /
O tempo é um rio que leva ou que afoga: /
nele se nada, nele ninguém manda. /
Os grandes homens de que fala a História /
foram os que entenderam bem seus tempos. /
Não amanhece porque o galo canta: /
o galo é que canta porque amanhece."
(Imre Madách, *A tragédia do homem*)

Posso eu ter uma carreira em que a sorte tem seu papel? A circunstância favorável, sim. Ela sozinha não é suficiente. A sorte, isto é, a circunstância, a ocasião, a chance, é essencial, mas não exclusiva.

De nada adianta ela aparecer se eu não tiver o movimento, a inclinação, a orientação, a tendência de seguir naquela direção. E de nada adianta eu tomar determinado rumo se não tiver competência para lidar com aquela circunstância. De que me vale, se músico sou, achar um violino Stradivarius na rua, se não sou capaz de extrair uma nota afinada daquele instrumento?

Vale também um exemplo na direção oposta. Recentemente, foi criada a denominação "filósofos pop" para expressar o fenômeno de profissionais dessa área ocupando cada vez mais espaços na mídia. Qual a circunstância que levou a essa condição? O mundo digital, que amplificou, numa dimensão magnífica, ideias que já se tinha, com as quais já se lidava em sala de aula. Quando a internet passou a fazer parte de forma efetiva no cotidiano das pessoas, muitos já estavam prontos. É claro que foi necessário fazer alguma preparação para se navegar com mais desenvoltura nesse mundo digital. Mas uma série de variáveis foi se agregando: a cultura digital, as redes sociais, a presença nos demais veículos de comunicação, a nova geração tomando contato com certos conteúdos no YouTube (ainda que muitas vezes pirateados).

O que aconteceu com a Filosofia nos últimos dez anos? Ficou mais banal? Em algumas situações, pode-se dizer que sim. Mas ela coincidiu com uma nova geração que cresceu nos últimos vinte anos usando com total desembaraço as plataformas digitais, e também com sentimentos de isolamento e percepções de inutilidade ou de superficialidade, trazidos à tona pela tecnologia.

Como antídoto a essa banalidade, a Filosofia, com sua aura histórica de lidar com conteúdos profundos, vinha sendo propagada por professores que também são bons comunicadores. E, como já o eram em sala de aula, encontram na internet, na televisão, no rádio seu território de expressão. Foram vários fatores que coincidiram para criar essa situação.

Insisto nesse ponto porque essa "co-incidência", "aquilo que incide junto", está ligada à sincronicidade. Os gregos cultivavam duas expressões para se referir ao tempo: *chronos*, no sentido de passagem ou contagem do tempo; e *kairós*, para indicar o momento oportuno, aquele em que algo relevante acontece. Há vinte anos, seria no mínimo inusitado ter um professor de Filosofia como comentarista de rádio ou ocupando uma bancada de telejornal para analisar fatos do cotidiano. Isso é resultado de situações afortunadas.

Essa ideia de fortuna, de origem latina, também aparece na conhecida cantata cênica *Carmina Burana*, de 1935, do compositor alemão Carl Orff (1895-1982). Seu movimento mais famoso é justamente "O fortuna", em que *fortuna imperatrix mundi* faz alusão à sorte que dirige os destinos, a vida no mundo.

Isso é muito forte para nós. A ideia de sorte em vários idiomas, assim como a noção de fortuna, está ligada também àquilo que é fortuito, que acontece por acaso. Pouco a pouco, no mundo da Renascença, o termo "fortuna" passou a indicar o conjunto de bens.

Apesar de não ser a explicação nem ser explicável, há várias tentativas de decifrar o que é a sorte ao longo da história. Pelo olhar metafísico, pode-se inferir que decorre da atenção dos deuses ou de Deus. São forças com as quais eu me conecto ou sincronizo, gerando uma sintonia com o universo.

Por exemplo, recuperando clássica narrativa, por que Artur conseguiu tirar a espada Excalibur? Porque era o escolhido. Por quem? Pela Dama do Lago. Onde está a Dama do Lago? No lago. Onde? Lá no fundo? Você já viu? Não. Porque ela não aparece para humanos.

Outro exemplo, este na narrativa judaico-cristã-islâmica. Moisés, no meio do deserto, ouve uma voz que o chama. Depara com uma árvore que pega fogo e não queima, chamada de sarça ardente, e ele pergunta: "Quem é o senhor?". A divindade responde, de modo magnífico como concepção teológica, "eu sou o que sou". Ponto. Talvez Moisés falasse "mas sou o que sou o quê?". "Eu sou o que sou." Ele só é. É um sujeito que não tem predicado. Quando se indica um predicado, há uma redução. Quem você é? Sou eu. O que você faz? Você vai excluir tudo o que você não faz. Eu sou o que sou é "sou todas as coisas".

Por isso, a divindade judaico-cristã-islâmica é chamada de inefável. Aquilo que não pode ser dito. E o que não pode ser dito, no sentido cristão, é aquele que não se captura pelas palavras. No sentido judaico, aquele cujo nome não pode ser dito.

Fortuito é aquilo que aconteceu sem uma provocação, é um fato não intencional. Muita gente conecta a ideia de fortuito com gratuito. E não é indevido, pois pode-se falar em antipatia gratuita, em simpatia gratuita, ou de qualquer situação gratuita, aquela em que se recebeu algo de graça, sem nenhum tipo de preparação ou premeditação.

A palavra "gratuita" faz bastante sentido, porque a pessoa que recebe de graça é aquela que é engraçada, isto é, que as forças sobrenaturais protegeram. Uma pessoa que nasce com a graça, até no sentido metafísico, é aquela de quem as forças superiores cuidaram. Ou, nos termos usados pelas religiões, aquela que as divindades ungiram, deram bênção. Abençoada é aquela que interiorizou o bem recebido. Diferentemente do amaldiçoado, aquele que foi abençoado recebeu de graça, portanto não pagou, mas foi agraciado com o benefício.

Existe aí uma conexão curiosa, porque no latim a ideia de graça é ser protegido, ser cuidado. No grego antigo, a noção é *caris*, de onde vem, por exemplo, "carisma".

A ideia central na concepção de *caris* é que a pessoa foi abençoada, escolhida. Por quê? Não se sabe ao certo. Pode ser um atendimento ao pedido dos pais ou alguma recompensa pelo mérito da obra ou da conexão deles. Ou, no caso das dinastias, não havia mérito e obra, era uma questão de sangue. Pode ser que a pessoa tenha sido escolhida por razões que a divindade não aclarou. Por que um indivíduo foi iluminado e o outro não? Não se tem clareza, mas a percepção é que o escolhido tem uma missão, recebeu de graça um dom conferido pelas forças sobrenaturais.

A pessoa carismática, se diria, é aquela que recebe a proteção. Por isso, ela fala bem, atrai pessoas, encanta quem está à sua volta. Ela tem uma aura protetora, a boa graça que todos devem procurar.

As pessoas que se sentem privadas dessa graça são as "desgraçadas", aquelas que ficaram privadas de proteção. Como a hiena Hardy, do desenho animado *Lippy & Hardy*, que vivia se lamuriando: "Ó céus, ó vida…". E o melhor trecho desse bordão é o "ó ceus", que é uma invocação de forças que deixaram de cuidar. Quando as forças descuidam de alguém, tem-se o "desastre". É quando ocorre a separação dos deuses ou dos astros.

Quando se deixa de receber a graça, a desgraça se instala. "Ô trabalho desgraçado, ô família desgraçada." A graça produz o encantamento, tanto que se diz "olha que família encantadora", "mas que pessoa encantadora".

Pode-se interpretar que desgraçado é aquele que tem pouca coragem. Não no sentido de valentia, mas de força, de vigorosidade, de firmeza de propósito.

Quando uma possibilidade se anuncia, é preciso força e determinação para levá-la adiante até que o objetivo se concretize. Os latinos caracterizam essa ideia do chamado como vocação. Mas, além da vocação, existe a provocação.

A ideia central é que, diante de uma situação desgraçada, a pessoa otimista, isto é, aquela que tem uma vitalidade mais exuberante, pensa: "Bom, valeu a experiência". Isso demonstra que ela procura algo engraçado dentro do desgraçado.

Já a pessoa pessimista, aquela sem vitalidade de ação, enxerga a desgraça como ponto final. A característica do desgraçado é ser conclusivo. A pessoa que tem uma vitalidade maior entende o acontecimento desgraçado como etapa.

Há uma diferença entre olhar a desgraça como etapa e olhá-la como conclusão.

Aí é que entra a energia da coragem!

CAPÍTULO 4

A pessoa certa no lugar certo, na hora certa

*O medo tem alguma utilidade;
a covardia não."*
(Mahatma Gandhi, *Discurso*)

É relativamente comum ouvir o comentário: "Aquela pessoa tem uma sorte danada. Olha como as coisas dão certo para ela". Não necessariamente. Em muitos casos, o que a pessoa tem é coragem de buscar, de fazer, de estudar, de se organizar, de se preparar.

A frase "a pessoa certa na hora certa, no lugar certo" é a indicação dessa perspectiva. A hora certa é o momento em que a circunstância aparece. O lugar certo também é circunstancial. A grande questão é: o que é a pessoa certa? A pessoa certa dessa frase é aquela que está preparada para fazer o que tem de ser feito e para fazer o que pode ser feito em determinada circunstância. Essa frase faz sentido quando resulta da conexão entre a ***possibilidade*** e a ***iniciativa***.

Uma grande lição dessa conexão ao longo da história é referida a Tales de Mileto (c. 624-548 a.C.), conhecido como o pai da Filosofia (embora a palavra "filosofia" tenha sido criada por Pitágoras). Não há evidência direta desses acontecimentos, mas valem como exemplo expressivo: a maior parte dos gregos na Antiguidade costumava ver aqueles que se dedicavam à Filosofia como pessoas que andavam nas nuvens. Não é casual que o principal livro contra Sócrates, uma comédia de Aristófanes, se chame *As nuvens*. Apesar de a Filosofia ser vista como uma área abstrata, própria de lunáticos, Tales enriqueceu numa atividade econômica de produção de alimentos.

No século 4 a.C., havia muitas azeitonas na Grécia (como há até hoje). Para saber o tamanho da produção de azeitona no ano seguinte e calcular quantos lagares seriam necessários para armazenar o produto, a consulta era feita aos deuses. E, quase como a inauguração do pensamento filosófico, Tales, que era um estudioso da Matemática, decidiu fazer uma leitura mais racionalizada da realidade. Isto é, ir além do pensamento mítico. Em vez de apenas consultar os deuses, ele fez o que nós chamaríamos agora de uma série histórica. "Este ano teve bastante azeitona, com tais condições climáticas: choveu nesse período, os ventos sopraram desse modo." A partir da observação dessas variáveis, compôs um panorama. Contrariamente àqueles que haviam consultado os deuses, ele vislumbrou uma grande safra de azeitona no ano seguinte. Investiu fortemente na aquisição de lagares, silos, barris. A produção estourou, ele pôde estocar e enriqueceu.

Tales foi capaz não apenas de orar ou de só apelar para as forças sobrenaturais, mas de identificar sinais para a ocorrência de determinados fenômenos, o que foi absolutamente decisivo para colher bons resultados.

Não daria para afirmar que Tales acertaria em cheio, mas havia uma grande probabilidade de êxito pelo estudo que realizou. Algumas ciências procuram fazer a previsão, a "pré-visão" – caso da Meteorologia. Elas não são infalíveis, mas têm um nível de acerto alto.

Algumas vezes, ao final de uma palestra, alguém, na intenção de me elogiar, acaba me ofendendo sem perceber. A pessoa fala: "Cortella, você tem o dom da palavra". Ao dizer isso, ela está sugerindo que eu não tenho mérito nenhum? Que não fiz esforço algum? Que Deus me chamou: "Vem aqui, você vai falar em público"? Claro que não. Faz mais de sessenta anos que estou na escola, como aluno e professor. Para escrever mais de trinta livros, eu tive de ler mais de 10 mil obras na minha vida. Cada dia estou numa cidade, conhecendo, conversando, aprendendo, dando entrevistas, ouvindo questões. Eu erro, acerto, procuro... e a pessoa diz: "Você tem o dom da palavra...". Claro que gosto de elogio. Ela pode dizer "você fala bem", mas dizer que eu tenho o dom não é a expressão mais adequada.

Eu não tenho dúvida de que fui abençoado pela possibilidade de falar em público. Mas eu tive de pegar esse "dom" e desenvolvê-lo. Não foi uma coisa automática. Faz mais de quarenta anos que sou professor. Atuo em espaços de comunicação, falo em rádio, em televisão, em palestras, em sala de aula. E isso exige esforço.

Sempre me perguntam e serve para exemplificar o conceito: como essa trajetória começou?

Nasci em Londrina, no norte do Paraná, e minha família mudou-se para São Paulo em 1967, numa sexta-feira. De formação católica, fomos à missa no domingo. Eu, caipira, sentei logo no primeiro banco, maravilhado com uma igreja grande e com cenários para mim inéditos. Naquele ano, a Igreja Católica começou a incrementar a modificação do culto. Até então, a missa era rezada em latim, com o padre de costas para os fiéis, e somente ele e o coroinha ocupavam o altar. A partir daquele ano, o Concílio Vaticano II orientou que a missa fosse no idioma nacional, com o sacerdote de frente para os fiéis e com a participação de leigos nas leituras no altar.

Pois bem, eu estava sentado no primeiro banco, aos 13 anos de idade. O padre começou explicando as mudanças e disse que começaria a ser mais frequente a presença dos leigos no altar, especialmente para fazer alguma leitura do dia na cerimônia. De supetão, apontou para mim e disse: "Menino, venha ler para nós"...

Eu tinha duas possibilidades: sair correndo (que era o meu desejo naquele instante) ou subir e fazer. Mesmo assustado, eu decidi subir. E o padre me deu um texto que, para meu azar, era uma Epístola de Paulo aos Tessalonicenses. Já tropecei aí. Ao começar a ler, outra grande bobagem, segurei o papel. A folha tremulando revelava todo o meu nervosismo. E, quanto mais o papel tremia, mais eu tremia. Quando terminei, nem me lembrava do que havia lido. Na missa do outro domingo, sentei lá no fundo da igreja. E o padre voltou a explicar que haveria sempre a leitura feita por um leigo. Lá de cima, olhou para mim e disparou: "Menino, você que leu na semana, vem aqui". Eu fui. No culto seguinte, eu já havia me preparado. Na véspera, eu passara na igreja para saber qual seria a leitura. Na missa posterior, eu já estava gostando. No quinto domingo, eu sentava na frente, pronto para ser chamado. Depois, comecei a ler na missa das 8h, das 9h, das 11h, do meio-dia e... faz mais de quatro décadas que falo em público. "Olha que sorte tem o Cortella." Não é?

Sei que não sou capaz de fazer algumas coisas, a menos que me prepare muito bem para fazê-las, e isso requer também preparar a coragem.

Eu não dirijo, nem sequer tenho carteira de motorista. Muitas pessoas me perguntam se eu tenho medo de dirigir. Costumo responder que espero que qualquer motorista tenha medo de dirigir para que tome cuidado com a condução do veículo. O que a pessoa geralmente está querendo perguntar é se eu tenho pânico de dirigir. Afinal, medo é um estado de alerta, pânico é uma incapacidade de ação. Será que eu tenho pânico de dirigir? Não, eu não gosto. Mas eu sei que quem passou por um centro de formação de condutores foi movido por um desejo imenso de fazer aquilo, a ponto de superar situações em que o medo se aprofundou.

Apesar de não dirigir, comecei a aprender em determinado momento da vida. A primeira vez que fui movimentar um carro, eu tremia e minha perna não parava no lugar. Mas quem dirige, aos poucos, vai construindo essa competência. Não tenho pânico de dirigir, eu não gosto, mas, se eu fosse fazê-lo, precisaria passar por todo esse processo de aprendizado, que não é automático. Afinal, ninguém pega o veículo e já sai por aí circulando.

A sorte segue a coragem, desde que a coragem seja competente.

É recomendável alertar que coragem não é impulsividade. A força da coragem está na audácia. Ser impulsivo, impetuoso, leva ao insucesso muito mais vezes do que quando há planejamento e preparação.

Por essa mesma perspectiva, uma pessoa cautelosa não é covarde, mas aquela que prepara a coragem e a ação. Uma pessoa covarde é a que não tem ânimo sequer para tentar porque o primeiro passo já a assusta imensamente.

Quando falo que a sorte segue a coragem, não se trata de uma sorte esvaziada de perícia, de habilidade, de competência. É uma sorte impregnada de capacidades. E essa expressão parte do pressuposto de que a pessoa teve humildade para buscá-las.

CAPÍTULO 5

Coragem não é impulsividade!

"Os impacientes chegam sempre tarde demais."
(Jean Dutourd, *O fundo e a forma*)

É sempre conveniente lembrar que há uma diferença entre ser audacioso e ser aventureiro. A pessoa que tem audácia é aquela que avalia, estuda, analisa e vai. Isto é, ela se prepara e se lança por conta da coragem competente. Uma das coisas mais perigosas é a coragem mal preparada, porque aí não é coragem, é leviandade. Coragem é que nem amorosidade, tem de ser competente. Não adianta ter amorosidade sem competência, porque ela se transforma em mera boa intenção.

A coragem preparada pode ser chamada também de audácia, que é a iniciativa competente. Existe uma iniciativa incompetente, que eu chamo de aventura. Embora a palavra "aventura" tenha entre nós um sentido positivo – de uma sucessão gostosa, divertida de fatos (e também o é em determinados contextos) –, existe um modo aventureiro de ir em busca do objetivo, que é desprovido de competência. É muito mais marcado por uma suposição de perícia do que por uma habilidade elaborada ao longo do tempo. Nesse sentido, o aventureiro é arrogante, pois a coragem preparada exige humildade.

Um dos discursos de autoajuda que mais me incomodam é o que proclama: "Se você acreditar, se tiver a coragem de começar, você chega lá". Não é bem assim que as coisas acontecem. Esse tipo de fala produz um movimento ilusório de energia que a pessoa pode não necessariamente ter. A coragem é uma virtude, portanto uma força intrínseca, mas que precisa ser trabalhada, modelada, refinada. A coragem não é apenas marcada pela disposição de partida. Não se trata de "eu quero, eu vou, faço e aconteço".

Um modelo dessa ideia é a clássica frase "vim, vi e venci", atribuída ao general romano Júlio César. Essa expressão não resulta de uma coragem leviana nem aventureira. Júlio César proferiu essa fala após uma grande vitória, para a qual ele houvera se preparado. Ele contava com uma estrutura de comando, uma organização de apoio em volta dele. Não é "vim, vi e venci" no sentido de puro ímpeto. Seria algo mais próximo de "vim, me preparei, estudei, me equivoquei, corrigi o equívoco e, enfim, venci".

Uma das elaborações do poeta mineiro Carlos Drummond de Andrade (1902-1987) que mais me inspiram é quando ele ensina: "Eu tropeço no possível, e não desisto de fazer a descoberta do que tem dentro da casca do impossível".

Esse é outro modo de dizer que nada é impossível. Ou uma máxima antiga que costumo citar: "O impossível não é um fato, é apenas uma opinião". Nesse sentido, penetrar na casca do impossível até achar o possível lá dentro é a construção da oportunidade.

O que ela exige? Dedicação, meios, recursos, aproveitamento das circunstâncias. Não basta eu apenas querer. "Estou disposto, então eu vou." Claro que não é assim. Isso é delirar, é desconhecer o quanto as condições influenciam para que algo se concretize ou não. Eu preciso ter meios e colocá-los a serviço do meu projeto.

O mesmo cuidado vale para a dependência de drogas ou para o consumo de tabaco ou álcool. Evidentemente, a força de vontade é um componente que consolida parte da ação, mas ela em si não é o bastante.

Vou dar um exemplo concreto: eu fui fumante durante trinta anos. Consumia três maços por dia. Em que pese o fato de eu ser um docente (na época, era permitido fumar em sala de aula), dava uma tragada ou duas e o cigarro ia queimando enquanto eu falava; era o chamado "cigarro de professor". No final das contas, três maços equivaliam a um por dia. Mas um maço já era demais para quem sabe o que significa o tabagismo. Eu nunca havia parado de fumar, embora já tivesse cogitado fazê-lo. O que me impedia era imaginar o sofrimento que a cessação do cigarro me causaria. Essa ideia da privação era para mim insuportável, portanto eu não tinha uma disposição para largar o vício. Obviamente, eu sabia dos males, estava consciente da necessidade de parar, mas não tinha ânimo para fazê-lo.

Todavia, em janeiro do ano 2000, eu decidi que pararia de fumar e estabeleci uma data de fácil lembrança para realizar o meu objetivo: 8 de março, Dia Internacional da Mulher. O que fiz de 2 de janeiro a 8 de março? Eu preparei a coragem. Como? Fui criando as condições. Comecei a analisar os fatores que me levavam ao consumo do tabaco de maneira viciada e não de maneira prazerosa: tomar café, o uso eventual de bebida alcoólica, o hábito de acordar e automaticamente pegar um cigarro etc.

Como iniciei a preparação em janeiro? Deixei de ler o jornal logo cedo e passei a fazê-lo fora do local onde estava habituado, sempre acompanhado do cigarro. Eu adiei também o horário do café e, com isso, ia diminuindo o número de cigarros. Fui quebrando condicionamentos e hábitos. Passei a escovar os dentes imediatamente após as refeições, para não ficar com o sabor da comida, porque isso também me instigava a fumar. Reduzi a minha ingestão de bebida alcoólica aos sábados e domingos, já que durante a semana isso era muito raro. Ainda assim, precisei intensificar esse esforço e fiquei seis meses sem tomar uma gota de cerveja ou vinho.

Quando chegou o dia 7 de março, às 23h55 (só o fumante sabe o que é guardar data, afinal, vício é vício), eu acendi o meu último cigarro. E, aí sim, a coragem da força de vontade: "Esse será meu último cigarro". E o fumei de maneira inédita. Em vez das poucas tragadas, esse eu fumei quase até o filtro.

Depois disso, não escondi o maço, não o afastei das minhas vistas, mas precisei de muita coragem, no sentido de enfrentamento. Passei os dez dias seguintes em estado de desespero. A todo o momento eu queria o cigarro, e é nessa hora que a força de vontade vale. Para isso, porém, eu havia criado ocasiões que ajudassem a quebrar hábitos e a me estruturar no caminho de libertação do vício. O momento mais crítico era quando eu estava escrevendo, pois a vontade batia forte. Para substituir o cigarro nas mãos, cortava cenoura crua em palitos, que apreciava muito na infância, e, cada vez que vinha o desejo de tragar, eu mastigava uma cenoura. Não foi na base do "vamos-que-vamos", estamos falando de um vício que se estendeu por décadas.

O movimento dos Alcoólicos Anônimos (AA) estimula o uso da frase "eu hoje não bebi" repetidamente, para reforçar cada conquista, ainda que parcial. O mesmo princípio é aplicado para outros tipos de dependências. Por que é preciso ter essa clareza de objetivo cumprido? Porque, se o dependente não preparar a sua disposição de modo contínuo, ficará só no campo da boa intenção e todo o esforço poderá ser soterrado por uma recaída.

Desde que me dispus a parar de fumar, naquele 8 de março, nunca mais coloquei um cigarro na boca, nem mesmo apagado.

Será que eu fui provado em relação a essa coragem durante todos esses anos? Claro que sim. Houve situações em que eu estava numa tristeza grande, de perder uma pessoa próxima ou de saber que ela estava partindo, e o gesto foi automático. Em duas ocasiões pelo menos, eu me lembro de ter batido a mão no peito, na altura do bolso da camisa, à procura do maço. Se alguém ao meu lado me oferecesse um cigarro, eu precisaria movimentar toda a minha energia para recusar. Se eu tivesse um maço de cigarros no bolso naquelas ocasiões, talvez eu me rendesse.

Isso significa que a coragem não é inesgotável, ela necessita de uma reflexão e de um preparo contínuos. É uma disposição que corre o risco de se enfraquecer.

Existem situações em que o "vamos-que-vamos" até pode gerar resultado favorável, mas geralmente decorre de alguma casualidade. Há relatos de pessoas que, sendo aventureiras, obtiveram sucesso, beneficiadas por alguma circunstância favorável. Mas o número de situações assim é tão limitado que não serve como referencial. Mesmo aqueles que tiveram lampejos de genialidade sem preparação são tão raros que também não nos servem de inspiração.

Tal como o Forrest Gump, personagem que dá título ao filme de Robert Zemeckis, de 1994, interpretado por Tom Hanks. É um clássico do herói casual, que está no lugar e no momento em que fatos importantes acontecem, mas ele mesmo tem pouca ou nenhuma intencionalidade em provocar aquelas situações narradas no filme. Por exemplo, na fase das corridas, ele é presenteado por um fã com uma camiseta, a passa no rosto todo sujo de barro e forma o desenho do rosto sorrindo no tecido, gerando o clássico ícone do Smile.

Nesse sentido da preparação, os atletas que treinam com afinco, que se esmeram em superar suas marcas, que são considerados gênios em suas modalidades, nos servem mais de paradigmas.

CAPÍTULO 6

Sorte, iniciativa e ética

*"Toda felicidade é uma obra-prima:
o menor erro a deturpa, a menor hesitação a
altera, a menor deselegância a estraga,
a menor tolice a embrutece."*
(Marguerite Yourcenar, *Memórias de Adriano*)

A expressão "a sorte segue a coragem" aponta para a necessidade de aproveitar a ocasião. Mas existem diferentes modos de não deixar a oportunidade escapar. No âmbito da carreira, há quem o faça criando armadilhas, estabelecendo condutas que não cooperam nem com a equipe de trabalho nem com o propósito do negócio. Pessoas que agem desse modo são carreiristas, oportunistas.

Existe uma diferença entre ter um planejamento de carreira e ser carreirista. Há várias versões de pessoas carreiristas: a *social climber*, que, para virar celebridade, se relaciona com figuras importantes na expectativa de subir de patamar em termos de visibilidade e prestígio. Seja a modalidade que for, usar os outros em benefício próprio não é aproveitar a oportunidade, é ser oportunista.

É a pessoa que quer ascender na carreira a qualquer custo. Ela não compartilha, não colabora, não interage.

Em vez da coragem de buscar a oportunidade, sua conduta é marcada pela obsessão em chegar aonde quer, nem que para isso tenha de demolir as ocasiões das outras pessoas. Para alcançar seu intento, não hesita em disseminar a fofoca, semear a cizânia, destruir a reputação daqueles que considera possíveis adversários, negligenciar tarefas, transferir responsabilidades, não creditar a autoria àquilo que foi bem realizado.

Alguns diriam: "Ah, mas essa pessoa é esperta, está trilhando a carreira dela". Mas a atitude corajosa inclui a coragem de ser decente, de não fraturar a ética, de alcançar um patamar superior na carreira ou no patrimônio de maneira digna.

Oportunista é aquele que constrói também más oportunidades, se valendo de expedientes que deveriam ser banidos da convivência decente. O traficante, o pedófilo, o político corrupto também aproveitam a oportunidade, mas não é desse tipo de situação que estamos falando de modo admirado. Eu tenho admiração por pessoas que constroem e aproveitam a boa ocasião, mas não se valem de fazer qualquer coisa a qualquer custo, em qualquer circunstância. Há situações em que aproveitar a ocasião é ser indecente, antiético.

Costumo bater na tecla de que existe uma diferença entre ambição e ganância. O indivíduo ambicioso é aquele que quer ser mais e melhor. É diferente do sujeito ganancioso, que quer tudo só para si e a qualquer custo. Uma parte do apodrecimento que nosso país vive no campo da ética hoje se deve mais à ganância do que à ambição. Eu sou ambicioso. Quero mais e melhor conhecimento, mais e melhor saúde, mais e melhor condição; porém, não quero só para mim e nem a qualquer custo. A ganância é a desordem da ambição.

É interessante que os jovens sejam ambiciosos em seus projetos. Um ou outro pode carregar esse traço da ganância, caso tenha sido criado num ambiente em que o lema seja "fazemos qualquer negócio". Essa regra é deletéria, ela vai minando a convivência socialmente saudável. A ambição é necessária, mas a ganância precisa ser banida do circuito.

Por isso, não dá para entender a valorização da oportunidade a partir da perspectiva do ladrão que aproveita a ocasião. A ocasião faz o ladrão? De maneira alguma, a ocasião apenas o revela. A decisão de ser ladrão é anterior à ocasião. Assim como não se pode tomar a vaga de alguém que está manobrando para estacionar num shopping, não se pode aproveitar as férias de um colega de empresa para ir conversar com a chefia a fim de retirar a oportunidade daquele profissional.

A sorte segue a coragem não significa heroificar qualquer pessoa que aproveita a ocasião. "Ah, mas naquela ocasião você não faria o mesmo?" Não! Definitivamente, não faria. Porque tenho valores que colidem com esse tipo de conduta.

A carreira, o estudo, a conquista do patrimônio têm de ser iluminados por uma ética que seja responsável, solidária naquilo que fazemos. Qual o argumento clássico? O de que todo mundo faz. "Ah, você é tonto, não dá para fazer desse jeito. O mercado é assim." Eu não faço, porque isso fere os valores que trago comigo.

Eu fico indignado, e muito intrigado, com pessoas que persistem muito tempo em práticas malévolas. Acumulam patrimônio, e o que farão com isso, exceto a acumulação? Até quando vão explorar outras pessoas, ofender pares, degradar ambientes? Como diz aquela frase de autoria desconhecida: "Quer ser o mais rico do cemitério?". Esse comportamento é doentio.

Por outro lado, há pessoas admiráveis que, tendo feito fortuna, a colocam à disposição de alguma causa. É admirável o exemplo de pessoas que destinam a maior parte da fortuna a instituições de apoio à saúde, à pesquisa, ao combate da fome. "Ah, mas para eles, que têm bilhões, é fácil." Mas há pessoas com um patrimônio que, mesmo menor, continua imenso, e não são capazes de partilhar o que conquistaram para beneficiar o próximo, seja pela destinação de recursos financeiros ou por transferência de conhecimento. Podem, mas não o fazem.

Alguém capaz de construir uma carreira que contribui para o crescimento da comunidade desfruta da sensação de que aquilo a engrandece.

Somos seres humanos movidos a futuro. Construímos no presente aquilo que nós entendemos como sendo a escada para chegar ao futuro. Somos movidos a expectativa e desejo; há uma diferença entre expectativa e desejo porque o desejo é algo que você tem, mas não necessariamente vai procurar, por supô-lo às vezes inatingível. Expectativa é algo que se espera e aguarda.

A palavra "projeto" significa aquilo que você lança adiante, projetar é jogar adiante. Então, eu jogo algo adiante e vou buscar. Cada um de nós vive o dia a dia para construir o amanhã. Claro, tem de se viver o hoje também, mas não se vive apenas o hoje. Porque do contrário se ficaria num imediatismo extremamente arriscado e perigoso. Por isso, o sonho é parte fundamental, especialmente quando o sonho não se identifica com o delírio. Sonhar é ter uma expectativa que se queira atingir, delírio é a incapacidade de construir um caminho viável para se chegar ao objetivo.

A procura da carreira tem de ser movida a sonhos – e bons sonhos. Mas insisto: não é delírio, não é divagação, não é distração. Sonho no sentido de desejo, de utopia, é algo a ser buscado, construído no cotidiano, feito passo a passo Quando você vai escavando, arrancando pouco a pouco a casquinha do impossível, até achar o possível lá dentro, o sonho vai se aproximando. Mas é necessário lembrar também que carreira, tal como o sonho, é um horizonte, não é um lugar aonde você chega. Ao supor que chegou ao sonho, você fracassa, desiste, perde vitalidade.

O sonho é o horizonte, é algo que você vai buscando, e, de fato, felizmente, não atinge por completo. Em latim, feito por completo é "per-feito" – perfeito é feito por inteiro, feito por completo, isto é, acabado.

Um sonho que acaba é algo que tira a vitalidade.

Por isso, carreira é um processo, até o término da vida, lembrando que carreira não se dá só no emprego, sendo também o modo como "pela vida corro e percorro".

Alguém que se encontre num estado de satisfação plena, sem cuidar da boa ambição, que acha que já está pronto, faz perecer a competência, fragiliza a oportunidade boa de bem fazer o bem, e desperdiça o tempo de Vida.

CAPÍTULO 7

A hora é agora!

*"O destino embaralha as cartas,
e nós as jogamos."*
(Schopenhauer, *Aforismos*)

Não temos todo o tempo do mundo. Afinal, somos finitos. Portanto, as nossas circunstâncias e as nossas oportunidades também o são. Meu tempo é o meu tempo de vida. Se eu não for reencarnacionista, é nesta vida que tenho de criar as condições para realizar meus objetivos, construir a minha obra, deixar o meu legado.

Mas isso não significa que tenhamos de nos lançar de qualquer modo em qualquer ocasião que se apresente. O ditado do "cavalo arriado que não passa duas vezes" nos serve de recomendação para estarmos atentos e preparados para as oportunidades. Ainda que a percepção de que o momento passa seja um sinal de inteligência, esse ditado, quando levado ao pé da letra, soa muito fatalista. Aquele cavalo pode não passar novamente, nem do mesmo modo. Tampouco significa que o momento passado não possa ser reinventado. Se aquele cavalo não passa, nada impede que se vá atrás de outra montaria.

Passou o seu momento de falar com aquela pessoa com que você queria viver? Passou aquela entrevista de emprego que você almejava? Passou o anúncio para o concurso na universidade? Certo, mas não significa que agora só seja possível lamentar a chance perdida. Afinal de contas, podem surgir outras ocasiões. Como lembram Nelson Motta e Lulu Santos, na canção "Como uma onda", "a vida vem em ondas como o mar". Quer algo mais parecido com a vida humana do que as ondas no mar?

De fato, não se deve ficar permanentemente sentado aguardando que o cavalo passe. Isso pode parecer óbvio, mas algumas pessoas têm essa ilusão e ficam apenas na espera. Essa atitude remete àquela antiga piada do bêbado que sai do boteco, senta na calçada, pega a chave e fica com a mão esticada. O guarda passa e, ao observar a cena, pergunta:

— O que o senhor está fazendo?

— Se a Terra é redonda e gira, estou esperando a minha casa passar.

Essa anedota faz alusão ao pensamento mágico de quem fica aguardando, passivo e, só pela crença, espera que a chave vá encaixar na porta de acesso ao lugar em que pretende chegar.

Se trouxermos a ideia latina de a sorte segue a coragem para o nosso cotidiano, ela soaria bem próxima dos versos do compositor paraibano Geraldo Vandré "Quem sabe faz a hora / Não espera acontecer", na música "Pra

Não Dizer que Não Falei das Flores"*. Estou fazendo a oportunidade? Não, estou fazendo a hora. A hora é agora, preciso ficar em estado de prontidão para, quando a oportunidade surgir, eu esteja apto a segurá-la.

A ocasião pode passar, pode ser refeita, embora daquele modo ela não venha mais. Diante dessa perspectiva, a nossa clareza sobre finitude nos obriga a ter uma atenção muito grande sobre quais são os nossos objetivos, de fato.

Para isso é preciso ter foco. O foco é o horizonte da minha pré-ocupação. Qual a lógica? Estar pré-ocupado, ter uma ocupação prévia. Existem coisas à minha volta que eu posso nem sequer notar se não estão no meu campo de foco ou de interesse. Podem passar por mim e eu não observá-las. Foco, nesse contexto, portanto, diz respeito não só à preparação da competência, mas à atenção para poder enxergar o momento.

É preciso chamar a meu favor aquilo que está no meu foco, provocar a ocasião. Como? Procurando. O pensamento da coragem é tomar a iniciativa de ir até a montanha. O pensamento só da sorte é o da montanha visitando o iluminado. Do mesmo modo, de nada adianta ter *expertise*, competência em alguma área, se não houver acuidade para visualizar a ocasião quando ela se anuncia.

Nesse sentido, é preciso não se distrair com aquilo que for acessório. Existe uma expressão, muito usada,

---

* "Pra Não Dizer que Não Falei das Flores (Caminhando)", Geraldo Vandré; Som Maior, 1968.

por sinal, que requer certo cuidado: "detalhe importante". Ora, detalhe não pode ser importante. Detalhe é detalhe. O importante é que é importante. Se é uma coisa pequena, mas que pode ser decisiva, não é detalhe. Se é essencial, não é detalhe. Meu apêndice é um detalhe, meu coração, não. Aquilo que é lateral, suplementar, pode ser chamado de detalhe. Ter foco é se concentrar naquilo que importa. Ressalva: não se trata de ignorar as nuances, mas ter discernimento para saber o que realmente é relevante e o que é fundamental ser feito.

Isso está longe de ser tarefa fácil. Ainda mais hoje, no século 21, em que estamos expostos a uma avalanche de informações. Temos uma vida mais apressada, com uma sucessão muito mais rápida das situações que podem se transformar rapidamente em ocasião perdida. Há cem anos, o leque de escolhas era bem mais reduzido. A começar pelo fato de que a vida era mais curta também. A expectativa de vida no Brasil, segundo o IBGE, em 1940, era de 45,5 anos. Em 2016, estava em 75,8 anos.

Meu pai cresceu nos anos 1940 e, naquela época, a lógica era marcada pela relação 20/40/60. Até os 20 anos, o indivíduo se formava. Dos 20 aos 40, se casava, constituía família, seguia a carreira e amealhava o patrimônio. Depois se aposentava, descansava e falecia. Hoje, aos 75 anos, há uma extensão do tempo vital na média da população, portanto existe a necessidade maior de administrar o tempo.

Podemos deduzir que temos mais tempo agora? Não necessariamente. Porque a velocidade das mudanças nos permite acesso mais rápido àquilo que antes demorava mais tempo para conseguir. O outro lado da moeda é que hoje a concorrência e a competitividade são muito mais acirradas. É necessário fazer muito mais esforço, despender muito mais energia para obter o que antes se conseguia com mais tempo, porém, com um nível de desgaste muito menor.

Por exemplo, um jogador profissional de futebol, na década de 1970, corria em média oito quilômetros durante um jogo; essa era a medida do esforço de percursos durante os noventa minutos usuais. Hoje a média varia de onze a treze quilômetros. Não mudou o tamanho do campo, nem a duração da partida, nem o número de jogadores. É um exemplo da mudança com o tempo agora organizado de outro modo. Eu torço pelo Santos. Nos anos 1960, o time tomava três gols e fazia cinco. Hoje, com as estratégias, a velocidade do jogo, a preparação física dos atletas, se o time levar dois gols, o adversário fechará os espaços de tal forma que será muito mais difícil buscar o resultado favorável. Essa é uma condição que altera a nossa percepção de vida.

Primeira constatação:
eu não tenho todo o tempo do mundo.
Segunda:
eu não deixo de ter algum tempo.

É necessário, portanto, aproveitá-lo. Nesse sentido, tempo desperdiçado é o da ocasião perdida (não tem a ver com tempo livre). É o das águas passadas que não movem moinho, o do leite derramado pelo qual não adianta chorar. Mas adianta prestar atenção nas razões que levaram àquele derramamento ou observar a correnteza com o intuito de aprender um modo de fazer girar o próximo moinho.

Uma consciência perita se constrói também com a revisão dos equívocos, dos deslizes. A *expertise* para tomar melhores decisões, aproveitar circunstâncias, advém da capacidade de acumular reflexões. Não é infalível, mas há uma possibilidade maior quando se medita a partir da própria experiência.

Até mesmo aquilo que muitos chamam de intuição, que seria equivalente ao *insight* no campo da Psicologia, resulta do acúmulo da experiência meditada. Quando se tem isso, diante de uma situação nova, a escolha de um caminho mais inteligente, mais correto, fica facilitada.

No que se refere à oportunidade, o acaso também tem o seu lugar. Existe uma maior probabilidade de a oportunidade aparecer quando alguém vai atrás dela. No filme *La la land* (EUA, 2016. Dir. Damien Chazelle), a protagonista não se tornaria atriz de Hollywood se continuasse sentada na sua cidadezinha em Nevada aguardando uma chance. Eu não posso entrar num circuito de pesquisas num local onde não existam laboratórios. Mas não basta eu estar nesse lugar equipado para que a oportunidade venha até mim, também existe o acaso.

Várias vezes na vida tropecei em circunstâncias que eu não tinha construído nem procurado, mas que acabaram sendo extremamente favoráveis a mim.

CAPÍTULO 8

Casualidades oportunas...

"Mas porque a maioria de nossos desejos se reporta a coisas que não dependem todas de nós, nem todas do outro, devemos exatamente nelas distinguir o que só depende de nós, a fim de reportar nosso desejo unicamente a isso."
(Descartes, *As paixões da alma*)

Sou professor de Filosofia, entrei no mundo corporativo como palestrante há trinta anos. Por volta do 15º ano de atividade docente, comecei a fazer palestras nas organizações. Antes de subir aos palcos, assisti a vários eventos, na intenção de captar os assuntos mais palpitantes naquele circuito. No final dos anos 1980, comecei a falar sobre ética, valores, respeito. Era a hora de fazê-lo, tanto que essas questões ganharam espaço no mundo das empresas.

A gestão do conhecimento também ficou em voga. Como por muitos anos fui professor de Epistemologia, que é justamente a teoria do conhecimento, estruturei um conteúdo para o ambiente organizacional voltado para a formação continuada, a educação de pessoas não apenas conectadas ao mundo escolar, mas o que hoje se chama educação corporativa. Lembro que fui um dos primeiros a levantar essa discussão ainda nos anos 1990.

A hora certa é aquela em que se tem uma confluência de necessidades e desejos.

Qual é o meu critério além da minha vivência meditada? A minha observação sobre a factibilidade, o que dá para fazer e o que é inexequível. Isso também se adquire com a vivência.

Há pessoas que, de cara, dizem "isso não dá para fazer". Algumas dizem isso por comodidade ou por hábito. Mas há outros que descartam algo a partir de vivência refletida e, com isso, deixam de gastar tempo e energia com o que é inviável e colocam o foco em alguma solução factível.

Novamente, vale ressalvar que estamos falando de probabilidades. Não se pode garantir que algo será um sucesso absoluto ou um fracasso retumbante. Há situações em que alguém vai com tudo, a despeito das evidências desfavoráveis, e consegue realizar seu intento. De todo modo, não é recomendável que as ações sejam empreendidas de modo impulsivo, pouco refletido.

Convém fazer tal ponderação, pois hoje o empreendedorismo é incentivado de vários modos. Na esteira de quatro ou cinco *startups* que dão certo, há várias outras que naufragam. Obviamente, não há espaço para todas as *startups*.

Quando surgiu o Uber, estava claro que seria preciso tirar o máximo de sucesso do negócio por um tempo, porque na sequência viriam todos os outros aplicativos do gênero. Os *food trucks*, que pareciam um modo alternativo de alimentação, estão perdendo o fôlego. Alguns estão saindo da rua para as lojas tradicionais. Fico curioso como uma pessoa deposita tanta esperança numa circunstância dessas sem examinar minuciosamente o mercado e sem estudar um pouco mais de macroeconomia.

Às vezes, o caminho pode ser ir na direção contrária da maioria. Na minha infância, em Londrina, cidade com forte colonização japonesa, havia um nipônico que, enquanto todo mundo plantava café, ele cultivava amendoim. No final do ano, só ele tinha amendoim e ganhava dinheiro. Aí todo mundo partia para plantar amendoim e ele começava a safra de fava. Ia fazendo rodízio das culturas e estava sempre se diferenciando dos demais agricultores.

Uma editora não vai lançar um livro sobre dieta na semana anterior ao Natal. Mas, por conta de sua experiência no mercado, poderá fazê-lo na primeira semana de janeiro ou depois do Carnaval.

Há ocasiões que são propícias. A própria palavra "propícia", que vem do latim *propitus*, sugere aquilo que protege, que é adequado, favorável.

Porém, como mencionado, o propício pode resultar de casualidades transformadas em oportunidades. Quero retomar aqui algo que já relatei, de modo mais resumido, no meu livro *Por que fazemos o que fazemos?*, publicado pela Planeta em 2016, pois vale demais para pensar a influência de "casualidades oportunas".

Por que fui secretário de Educação na cidade de São Paulo em 1991 e 1992? Sem desconsiderar ser também eu da área de Educação e sem falsamente menosprezar alguns méritos pessoais, há várias casualidades que de mim não dependiam.

Quando o educador pernambucano Paulo Freire (1921-1997) assumiu a Secretaria de Educação em 1989, anunciou que ficaria dois anos e depois partiria para outras atividades. Fui levado para compor a equipe por Moacir Gadotti, que era meu orientador de mestrado. Ele era o chefe de gabinete quando Paulo Freire assumiu, portanto era o secretário adjunto. A chefia de gabinete tem uma série de atribuições executivas, para a qual Gadotti não tinha desejo naquele momento. A prioridade dele era lidar com Educação de Jovens e Adultos. Ele, então, passou as atividades mais imediatas de gestão para mim. No final do primeiro ano, ele era o chefe de gabinete e eu, um assessor especial.

Em 1990, nós decidimos pedir ao secretário para trocarmos de cargos: eu iria para a gestão, na qual tinha mais apetite, e ele mais exclusivamente para a Educação de Jovens e Adultos, já que eu não tinha formação nesse campo.

Ao me tornar secretário adjunto, passei a substituir o professor Paulo Freire (depois meu orientador de doutorado) em algumas ocasiões, quando saía ele para eventos internacionais e também em reuniões de secretariado. Passei a ter um contato mais amiúde com o grupo de governo e com a prefeita Luiza Erundina. Quando Paulo Freire comunicou que estava de saída, a pessoa mais integrada ao conjunto da gestão naquele momento era eu, e, na avaliação do restante da equipe dirigente da secretaria, a que reunia condições de levar com o grupo aquele trabalho adiante.

Eu recebi de graça o cargo? Não. Eu estava lá na hora, mas também fui sendo preparado para fazê-lo naquela circunstância. E havia uma equipe que era melhor que eu, mas com a qual eu tinha uma boa capacidade de articulação. Eu não estava passando na porta da secretaria e Paulo Freire falou "ei, vem aqui, você não quer ser secretário de Educação de São Paulo?". Claro que não.

Outro episódio em que o acaso se fez notar acontecera bem antes, no começo dos anos 1980, no Rio Grande do Norte, onde eu ajudei um grupo de professoras de lá a fazer uma cartilha de alfabetização que estivesse conectada à realidade regional. O grupo era de professoras de cidades potiguares, como Mossoró, Caicó, Ceará-Mirim, Pau dos Ferros, João Câmara etc. Eu era o único de fora e estava como consultor.

Já havia dois volumes dessa cartilha, chamada *Raízes*, e era preciso produzir o terceiro. Os desenhos das duas primeiras cartilhas não refletiam o cotidiano da região.

Um dia, eu e uma professora da equipe saímos para comprar um lanche coletivo no supermercado em frente ao nosso espaço de trabalho, em Natal. No caixa, havia um menino de uns 15 anos de idade, sentado, aguardando clientes para empacotar as mercadorias. Ele estava desenhando no papel de embrulho. A figura era o avô dele sentado à sombra da árvore pitando um cigarrinho de palha. Nós dois batemos o olho naquele traço tão característico e fomos perguntar como era a relação dele com desenho. Ele nos mostrou outros, bem ligados ao mundo potiguar.

Ora, a partir dali, foi contratado e fez todos os desenhos da cartilha!

Se não fosse naquela hora, naquele caixa, pode ser que a oportunidade não aparecesse para o menino.

Mas ele tinha também de saber desenhar. A sorte dele foi ter sido visto por quem percebesse que o talento dele poderia ser aproveitado daquele modo. Mesmo aquele desenho poderia ter sido um acaso, mas nós pedimos outros e ele realmente demonstrava competência para fazer o que precisava ser feito.

A oportunidade é multifatorial, porque existe uma série de variáveis que coincidem.

No caso, o acaso incidiu junto, coincidiu, com uma necessidade, um foco, um projeto.

CAPÍTULO 9

E quando a hora não é agora?

"Retirar-se não é fugir, nem esperar é cordura, quando o perigo é maior do que se esperava; e é de sábios guardar-se de hoje para amanhã e não arriscar tudo num só dia."
(Cervantes, *Dom Quixote*)

Existe uma diferença entre conhecimento e sabedoria. O conhecimento é de natureza técnica. Quando alguém afirma "eu conheço", está passando a mensagem de "eu sei fazer algo" ou "tenho noção sobre algo". Significa que a pessoa tem a capacidade de cozinhar um prato, de montar um projeto, de organizar uma planilha. São conhecimentos referentes a determinadas atividades.

A sabedoria, por sua vez, carrega uma sutileza que a diferencia: é a condição do conhecimento incorporado pela vivência. Posso treinar alguém para fazer algo, e ele terá o conhecimento de como elaborar aquilo. Em inglês, a ideia de saber fazer algo é *know-how*, que tem um sentido um pouco mais técnico, mais operativo. No francês há a expressão *esprit de finesse*, isto é, a capacidade mais sofisticada de percepção. Aquilo que chamaríamos de sabedoria, embora a tradução literal seja idêntica, é a expressão *savoir-faire*. Ainda que ambas, *know-how* e *savoir-faire* signifiquem "saber fazer", a segunda tem um refinamento, remete à ideia da experiência meditada, aquela que contempla níveis de perícia e de sabedoria.

Savoir-faire sinaliza que não basta saber fazer, é preciso saber também quando fazer e como fazer com maestria. Entra num território do fazer que vai além da operação técnica, portanto que ultrapassa o ponto da mera execução da atividade.

No que se refere à oportunidade, a experiência refletida – que é a vivência depurada – permite uma maior capacidade de identificação de oportunidade. Aquilo que na Medicina se chamaria de olho clínico, quando o médico capta informações e as transforma num diagnóstico que aparentemente seria imperceptível ou não obviamente notado. O que lhe permite enxergar? Um repertório prévio que tenha sido pensado, meditado, refletido. A própria palavra "refletir" quer dizer "dobrar de novo", "flexionar novamente". Isso vale especialmente para quem está lidando com novas ocasiões e quer construir futuro. Isto é, "o que eu quero?", "para onde vou?", "o que vou aproveitar do que está à minha volta?". São decisões que têm de ser pensadas.

O bom surfista se caracteriza por identificar o melhor momento de entrar na onda. Se ele passar um pouco do ponto ou perder o tempo da remada, não a aproveita. Se ele entrar antecipadamente, pode ser engolido. Essa perícia vem, acima de tudo, de treino, só o tempo e a prática irão aprimorar essa leitura que antecipa cenários. Quando a onda se forma ao longe, o surfista já percebe o movimento que ela vem fazendo, observa as nuances e se prepara para aproveitar o fluxo e realizar as manobras.

O mesmo princípio pode ser aplicado à nossa carreira, às nossas escolhas de vida, ao aproveitamento das oportunidades. A visão antecipada, criada a partir da vivência meditada, permite uma avaliação mais apurada das condições que nos cercam e nos sinalizam o próximo passo, que pode ser até mesmo recuar, esperar outro momento mais propício, refazer a estratégia.

As pessoas capazes de usar o seu somatório de experiências e, ao refletir sobre elas, transformá-las num patamar mais elevado de conhecimento não só identificam o "como fazer", mas também o "quando" e o passo além da mera execução. São aquelas mais propensas a produzir o "lance de gênio", expressão usual no campo do esporte e da arte, mas que pode ser aplicada a outras esferas.

No campo dos negócios, é aquele empreendedor que fareja oportunidades. Em cidades grandes, é o comerciante ambulante que mantém um estoque de guarda-chuvas em algum lugar e poucos minutos depois de a chuva começar, quatro ou cinco vendedores já estão na porta do metrô oferecendo o produto. Eles nem estavam com esses guarda-chuvas em mãos, nem na casa onde moram, mas têm senso de oportunidade.

Essa capacidade de observar os fenômenos à nossa volta e a interligação entre eles é que permite a visualização da oportunidade.

Evidentemente, essa perícia tem de nos alertar também de quando não é a hora.

As pessoas que dizemos que têm sorte, isto é, aquelas que têm coragem de buscar a ocasião, em grande medida, antes de darem o passo, utilizam o inventário de experiência meditada.

No campo do afeto também é assim. Uma relação afetiva se constrói num tempo mais denso, ele não pode ser evanescente. A frase caipira de que para se construir uma amizade é preciso comer um saco de sal junto faz sentido. Se um saco de sal pesa sessenta quilos, significa passar praticamente uma vida fazendo refeições com aquela pessoa. Esse pensamento registra a sabedoria dos idosos e é a ideia de algo que se constrói ao longo do tempo. É marcado tanto pela ideia de *chronos*, isto é, no sentido da longevidade das relações, quanto de *kairós*, no que se refere à oportunidade de construir um laço afetivo com alguém. E essa percepção só se adensará se houver um repertório de experiências refletidas, que me permita analisar com mais clareza se aquela relação terá consistência ou não.

Em qualquer esfera, no empreendimento, na carreira, no estudo, uma vez identificado o momento oportuno, são necessárias algumas habilidades. A primeira delas é equilibrar audácia e paciência. O Eclesiastes diz "há tempo para colher, há tempo para plantar". Audácia é a virtude de quem aproveita a hora. Paciência é a virtude de quem a aguarda para que não resulte numa forma atabalhoada de ação.

No jogo de truco é preciso ter audácia e paciência. Em que situação o jogador se vale da audácia? No conhecimento do adversário, no movimento das cartas, na observação das mãos, que já aconteceram. E também da capacidade de ludibriar o seu adversário e vencê-lo. Ou, na ausência de cartas boas, ser capaz de assustá-lo a ponto de que ele recue.

A paciência se pratica em saber aguardar o momento mais propício, não se animar em excesso por ter cartas ótimas e, especialmente, entender que paciência não é lerdeza... Contudo, quem é impaciente no truco acumula perdas contínuas.

A tal sorte de principiante atrapalha os outros jogadores no jogo de cartas. Como aquele que está começando não tem os maneirismos que a prática carrega, ele impede que os adversários tenham uma visão muito nítida de como ele está jogando. Não existe sorte de principiante se os quatro à mesa são principiantes.

Vale reforçar: paciência é diferente de lerdeza. Embora exista a máxima de que "quem espera sempre alcança", esse pode ser um conselho indutor do comodismo. Esperar com paciência é usar esse tempo para preparar-se e, quando chegar uma ocasião favorável – seja encontrada ou construída –, fazer acontecer.

Alguns ditados que repetimos são muito conformistas. "Dê tempo ao tempo." Evidentemente, está falando de paciência. Mas, em algumas situações, alguns conselhos tendem a nos inclinar à imobilidade, à inércia, não à paciência.

Há um ditado italiano que diz "*piano, piano se va lontano*". "Devagar, devagar se vai ao longe." Mas é completado por outro, que é: "*piano, piano se va lontano, ma non se arriva mai*". "Devagar, devagar se vai ao longe, mas não se chega nunca."

No outro polo, eu costumo lembrar que existe uma diferença entre ser veloz e ser apressado. Velocidade é objeto de perícia. Pressa tem a ver com desacerto ou afobação. Ter senso de urgência é diferente de ter pressa. Quem tem velocidade é capaz de fazer algo com excelência, que significa fazer o melhor, no menor tempo com custo mais baixo – de tempo, de material, de energia, de saúde.

Aguardar o tempo e não fazer as coisas de modo açodado, atabalhoado. Será que isso funciona sempre? Nem sempre. Não há um critério de perfeição. Em vários momentos, eu achei que era para aguardar mais um pouco e a hora passou. Em outros, achei que poderia ir e não era o melhor momento.

Mas com a experiência mais densa, vai se gerando uma habilidade maior de identificar o momento mais adequado. Como sei que não é a hora? Quando agrego todos os indicadores de factibilidade de algo e, com base em minha vivência meditada, avalio "sim, dá para fazer", "isso vai acontecer".

Posso errar? Sempre. Contudo, a minha probabilidade de errar é tanto menor quanto maior for a minha vivência meditada naquele contexto.

CAPÍTULO 10

Planejar, escolher, abdicar

*"O plano que não pode
ser mudado não presta."*
(Publílio Siro, *Sentenças*)

O que me estimula? O ambiente externo. O que me motiva? O meu propósito. Que também é o meu sonho. Mas, conforme antes mencionado, sonho não é delírio. O sonho é o desejo factível. O delírio é o desejo sem condição de se realizar.

Eu, Cortella, não tenho mais condições de fazer várias coisas, por causa da idade, dos limites do corpo, da energia necessária, dos compromissos assumidos. Eu não posso me colocar hoje como postulante a correr a maratona de Nova York. Posso até ter o desejo, mas não reúno condições que me permitam participar dessa prova. Não poderei fazê-la e não é questão de conhecimento, mas de levar em consideração uma série de circunstâncias relacionadas a essa empreitada.

Tampouco basta a oportunidade passar à minha frente, se eu não tiver como dar conta dela. De nada adianta alguém me oferecer agora uma proposta para ser gestor de uma grande corporação, com um alto salário, na Islândia. Porque eu não posso nem quero ir. Aos 25 anos de idade, talvez eu aceitasse.

O sonho é um dos elementos a serem levados em conta para que a gente constitua o olhar sobre a oportunidade. Há situações em que a oportunidade pode passar perto de mim e eu nem prestar atenção, porque não está dentro do meu propósito. Eu não posso imaginar que sou capaz de fazer algo apenas porque sei fazê-lo.

Para eu estipular um objetivo, é necessário que deixe de fazer outras coisas. Desse modo, aos 25 anos, um convite para a Islândia seria uma oportunidade e tanto, hoje seria honroso, mas fora de cogitação. A quantidade de laços profissionais e afetivos que eu tenho me afasta dessa possibilidade.

Isso demonstra que o aproveitamento de oportunidade implica abdicações. Quando a pessoa questiona: "Terei de largar a minha família para realizar esse projeto?". Largar, não. Mas precisará abdicar de um tempo, antes disponível, para dar conta de concluí-lo. Para fazer um treinamento, um curso, terá de abrir mão de algumas atividades.

A própria ideia de escolher implica deixar para trás outras opções. É impossível escolher tudo.

Quando assisti à primeira versão do filme *A fantástica fábrica de chocolate* (EUA, 1971. Dir. Mel Stuart), com o Gene Wilder, eu fiquei encantadíssimo. Mas lembro que, aos 18 anos de idade, ainda me assustou a ideia de ter de fazer escolhas naquela casa de doces. O que eu comeria? Certamente iria me arrepender de alguma decisão, "deveria ter escolhido aquilo em vez disso". Outro momento inquietante foi quando li *O nome da rosa*, do escritor italiano Umberto Eco (1932-2016). No final, durante o incêndio, a personagem William de Baskerville só pode salvar alguns livros da biblioteca em chamas. Pois bem, no lugar dele, quais eu escolheria?

Essa ideia da abdicação é dificílima. Vale para o afeto, para a carreira. Toda vez que escolho, eu abdico.

Para reduzir o nível de angústia, cabe dizer que a noção de oportunidade tem de ser entendida também como circunstância, e não como ponto definitivo. Isto é, o fato de eu aproveitar uma circunstância e trilhar um rumo não significa que aquela é uma via de mão única.

Hoje parte das carreiras é multifacetada. E há um aspecto interessante nisso, que é fazer com que a pessoa não fique reclusa num único trajeto. Tem sido cada vez mais frequente depararmos com profissionais desempenhando atividades em áreas diferentes das que se formaram. Graduados em Ciências Econômicas que se dedicam à Gastronomia, engenheiros se tornando gestores em empresas, publicitários empreendendo. Antes, muita gente seguia algum caminho porque não tinha escolha. Hoje, não mais. Até profissionais com uma trajetória extensa numa área se permitem enveredar por outros campos.

Já encontrei gente que me disse: "Professor, sabe que eu resolvi voltar para a escola depois de velha?". Eu não concordo com a formulação da frase. Porque o que vem do "depois de velha" é a morte. A pessoa resolveu voltar para a escola "depois de nova". O ser mais jovem é sucedido pelo envelhecimento. E o que sucede o envelhecimento é o falecimento.

Mas, semântica à parte, é bastante salutar a pessoa persistir em seus projetos de vida. Não importa se antes ou depois da juventude, o que vale é ela buscar o que entende estar em seu horizonte de vida. Eu continuo perguntando para meus filhos, meus netos e para mim mesmo "quais são os planos para o futuro?".

Claro, a nossa extensão de tempo vital é mais um aspecto que temos de considerar para traçar nossos planos. Convivemos com uma altíssima complexidade de variáveis que a vida nos coloca hoje. Há uma maior interdependência de fatores, que a qualquer momento podem se alterar. Essa condição exige que tenhamos sempre um plano B.

A vida no Ocidente, nas grandes cidades, é complexa, tem muitas dobras. É difícil imaginar que, porque eu tracei uma rota, chegarei sem desvios até o ponto final. Determinação, decisão, iniciativa, foco continuam sendo atributos importantes, ainda assim, um conjunto de circunstâncias pode alterar a rota.

Uma pessoa sem plano B fica desprevenida, a ela falta previdência. Nós precisamos aprender, como fazem alguns aplicativos, a recalcular a rota.

Mesmo porque, nossa vida está atrelada também ao que está acontecendo em outras nações, aos rumos da economia, da política, à ocorrência de fenômenos naturais.

Essa complexidade faz com que eu tenha de conceber rotas alternativas. De fato, é difícil lidar com mais essa demanda. E, além de tudo, o hábito tem uma influência muito forte na disposição das pessoas em pensar outros rumos possíveis para a vida. Algumas dizem "essa é a minha sina", "não tenho o que fazer, já estou há muito tempo nesse modo". Essa forma obnubilada, com a visão obscurecida remonta à origem do termo "bitolado", que vem de "bitola", a distância entre os trilhos do trem, que precisa ser sempre daquele jeito.

Construir um plano B exige definir a prioridade e o que é acessório, detalhe. Não fazer essa triagem nos aproxima de um pronto-socorro desorganizado. Imagine uma estrutura de proteção à vida sem a capacidade de triagem. Não é casual que a inteligência administrativa, gerencial, tenha trazido para os hospitais, especialmente para a área de pronto atendimento, uma sequência lógica de triagem em que se entende a diferença entre urgência e emergência.

Todo problema com alguém é uma urgência, mas não necessariamente uma emergência, que é "já". A emergência é "logo".

É preciso ter uma escala de prioridades daquilo que importa. Isso exige planejamento, algo que as pessoas têm muita dificuldade em fazer. Aonde eu quero ir? Quais os passos que preciso dar? O que eu preciso para chegar lá? O que eu faço se isso não der certo?

Se não tenho um protocolo de encaminhamento, uma rota desejada e uma visualização de opções outras, isto é (vou usar um termo administrativo de uns trinta anos, mas que até hoje poderia ser útil), um fluxograma, fica difícil seguir. Mais ou menos um encaminhamento do tipo: "Eu preciso disso, se eu não tiver, sigo para A. Se tiver, vou para B" etc. E, passo a passo, até cumprir o objetivo. Uma árvore de alternativas, que é mais ou menos como funciona um GPS.

A nossa grande vantagem como espécie na Árvore da Vida foi a nossa capacidade de continuar inventando galhos. Parte significativa das espécies, até mesmo outros primatas, enveredaram por um galho e nele pararam.

CAPÍTULO 11

Tecnologia, ocupação e tédio ausente

*"Só não existe o que
não pode ser imaginado."*
(Murilo Mendes, *O discípulo de Emaús*)

Estamos atualmente envolvidos com uma quantidade significativa de eventos, grande parte deles acontecendo em acelerada velocidade. Essa demanda contínua e esse tsunami informacional nos retiram um tempo que poderia ser investido num aprendizado com mais densidade.

O nosso sonho com a tecnologia foi quimérico. No século 19, o pensador alemão Karl Marx (1818- -1883) dizia que construiríamos uma tal capacidade técnica que no século seguinte – no caso, o 20 – teríamos tempo liberado e iríamos nos dedicar ao lazer e a atividades que fossem mais prazerosas.

O fato é que os últimos quarenta anos nos trouxeram uma tecnologia absolutamente inédita, cuja crença generalizada é que ela acelera as nossas tarefas.

A tecnologia permite que eu encontre um local mais rapidamente, que eu acesse uma informação mais rapidamente, que eu entre em contato com alguém mais rapidamente. Tudo isso representaria um ganho de tempo.

Isso foi ilusório. De fato, nós fazemos tudo isso mais rapidamente, no entanto passamos a fazer também com muito mais frequência e intensidade. Aumentamos o número de vezes com que falamos com alguém em um dia. Isto é, hoje nos falta intervalo, nos falta recreio. E não apenas na cessação momentânea da rotina laboral, mas em outros aspectos da vida, como o intervalo na relação de afeto, no exercício da religiosidade.

Nesse ponto, o mundo monacal, cristão, católico, foi muito inteligente. Várias ordens religiosas organizaram a nossa divisão de tempo. O escritor canadense George Woodcock (1912-1995), no texto "A ditadura do relógio", parte da obra *A rejeição da política*, fala que a divisão de horas aparece nos conventos medievais para manter o monge ocupado de modo contínuo, pois, como se imaginava, "a cabeça desocupada é oficina do demônio", ou seja, enquanto estivesse envolvido com tarefas de forma disciplinada, não pensaria em "bobagens".

Mas a Igreja Católica, na formação do clero, também usou do tempo para aferir a convicção dos que se apresentavam para a carreira religiosa. Quando alguém entra numa ordem religiosa, faz Filosofia, graduação. Depois, em algumas ordens, antes de entrar na Teologia, faz um ano de parada, é o chamado noviciado.

Para outros, o trajeto é idêntico, mas com dois anos de noviciado. Nesse período, ocorre uma parada das obrigações de estudo para que freiras e padres se autoavaliem e se certifiquem de que realmente estão no caminho correto de suas vocações. Não é casual que o maior número de desistências na formação do clero se dê nesse tempo de pausa.

Muitas vezes a religião nos inspira a refletir sobre a nossa rota e o nosso lugar no mundo.

Sidarta Gautama se retira do cotidiano para pensar a própria vida. Os cristãos chamam isso de retiro. Jesus de Nazaré retirou-se da cidade e ficou quarenta dias meditando no deserto. Enquanto estava lá, no relato dos cristãos, o demônio foi atentá-lo, porque ele estava desocupado. Seria bastante improvável que o demônio fizesse isso se Jesus estivesse na marcenaria com o pai dele ou fazendo milagre em algum lugar. Várias das práticas na religião, na Filosofia, na Psicologia trabalham com a cessação do fluxo do dia a dia.

Esse fluxo do tempo que vivemos remete a Mario Quintana que termina o poema "Tenta esquecer-me" com os versos "Toda a tristeza dos rios / É não poder parar!". E é muito parecido com a tristeza que temos hoje.

Em outro poema, o português Fernando Pessoa (como Álvaro de Campos) conclui seu "Barrow-on--Furness" de modo agoniado: "Acabemos com isto e tudo mais ... / Ah, que ânsia humana de ser rio ou cais!". A ideia do fluxo contínuo é desesperadora.

Ônibus lotado, metrô lotado, dezenas de pessoas na sala de espera de um cinema, cada uma sozinha com o mundo. Às vezes sozinhas com os outros que não estão ali, porém ocupadas com algo que as retira da capacidade de fazer essa pausa.

Nota-se cada vez mais a incapacidade que temos de simplesmente pararmos. Não gostamos de ficar parados, sem nada a nos ocupar. A ideia de ficar aguardando num saguão, numa fila, numa sala de espera é altamente aflitiva, angustiante. Ou você pega uma daquelas revistas arcaicas e começa a folhear ou se ocupa de qualquer jogo mental que ordene aquela situação.

Até alguns anos, sem a possibilidade de carregar uma tecnologia distrativa, você sentava numa sala de espera ou conversava com outra pessoa – o que era uma imensa fonte de inspiração –, ou contava ladrilho, placa de teto, olhava para a janela e começava a ordenar o espaço, criar referências. Ia se ocupando e começava a prestar atenção nas coisas.

Esse é o ócio que permite criar coisas ou reinventá-las. A desocupação é criativa na medida em que permite que você note o que não era notado. O olhar rotineiro é um olhar distraído. Toda vez que eu estiver numa situação de desocupação e passar a observar mais, vou encontrar outras fontes de conhecimento, de inspiração.

O uso do termo hebraico *shabat* significa interrupção do trabalho, embora a gente traduza em português como "sábado", que era o dia em que se interrompia o trabalho. A ideia de ano sabático há um tempo passou a fazer parte do mundo corporativo, com profissionais fazendo intervalos para repensarem seus trajetos. Adentrou também no meio acadêmico.

Outro dia, uma jovem de 21 anos com uma boa carreira em marketing digital me disse que precisava tirar um ano sabático. Fiquei imaginando por que alguém com essa idade, ainda no início de sua trajetória profissional, tem essa necessidade de parar. E ela dizia que planejava fazer essa pausa para encontrar um sentido para a vida dela. Nos últimos três anos de vida, ela vinha se sentindo sufocada.

Essa percepção de sufoco, de abafamento, nós sentimos não só em relação à pressão do tempo, mas à compressão do tempo. O mundo corporativo é repleto de marcadores tácitos ou explícitos. "Sucesso é fazer um milhão antes dos 30 anos", "em dois anos de empresa precisa assumir cargo de chefia".

Isso gera desespero, porque é afobação, e faz com que se perca a oportunidade de olhar para alternativas de caminhos que sejam mais gratificantes.

Se ficarmos distraídos o tempo todo com os múltiplos estímulos que recebemos, acabamos por perder o foco. Quando queremos construir a nossa própria trajetória, um fator fundamental é sermos capazes de prestar mais atenção às oportunidades que podem estar nos circundando. Ao nosso entorno pode haver uma proliferação de oportunidades e ocasiões, sejam elas de ação, sejam de negócio, de estudo, de conhecimento de outra área, de inspiração. Se eu passar o tempo todo voltado para ocupações contínuas, tiro o tempo de desocupação, que é aquele que me permite notar o que eu não tinha notado.

Seria inconcebível, por exemplo, um docente como eu dizer: "Não admito celular em sala de aula". Não se deve permitir se eles forem utilizados em momentos que requeiram atenção e concentração. Mas é inegável que se trata de uma ferramenta poderosa para o aprendizado e para o conhecimento. Seria como dizer "não quero ninguém com jornal ou revista na minha aula". Essa deliberação seria válida quando esses recursos não compusessem o conjunto de ferramentas para o trabalho didático.

Hoje, os estímulos são quase ininterruptos. A questão, sem dúvida, não é a tecnologia em si, mas o seu uso imoderado ou aleatório. A tecnologia tem esse efeito danoso, mas produz evidentes efeitos benéficos em várias situações.

Quando se trata de aprendizado, existem momentos em que é preciso dosar, seguir só até determinado trecho para mais à frente retomar o caminho. E isso não é absolutamente perda de tempo.

CAPÍTULO 12

Estoque de conhecimento, partilha e humildade

"Um relógio que atrasa, evidentemente, não adianta. Mas pior é ainda um relógio que adianta, pois, também ele, não adianta. Um relógio que adianta é um atraso – e o que atrasa também. O que adianta, mesmo, é um relógio que não atrasa nem adianta."
(Eno Teodoro Wanke, *Reflexões marotinhas*)

Nós somos animais que aprendemos com experiência feita, portanto somos capazes de prestar atenção ao que aconteceu e dar um passo mais certeiro adiante.

Posso aprender com a minha experiência meditada e com a do outro. Vivência é intransferível, experiência é transferível. Eu não posso aprender com a vivência de outra pessoa, mas posso aprender com a experiência por ela relatada. E posso trazer esse ensinamento para a minha vivência, nada me impede de aprender com as experiências refletidas dos outros.

Aliás, não é casual que guardemos as nossas experiências, por séculos, em livros ou outras plataformas, para que esse registro sirva para quem for acessá-lo.

Toda organização, toda comunidade tem um estoque de conhecimento que está diluído entre as pessoas. É um reservatório rico de capacidades que não estão acumuladas num único indivíduo.

Uma das maiores oportunidades que eu posso encontrar de crescer e aumentar a minha habilidade está em outra pessoa. Como nenhum e nenhuma de nós sabe todas as coisas e tampouco é incapaz de saber alguma coisa, aquilo que o outro sabe e eu não sei complementa a minha capacidade.

Nesse sentido, a minha aproximação com ele tem de ser de humildade. Como dizia Paulo Freire em *Pedagogia do oprimido*: "Ninguém educa ninguém, ninguém educa a si mesmo, os homens se educam entre si, mediatizados pelo mundo".

O aprendizado se dá quando eu olho para dentro de mim e para fora de mim. Eu costumo dizer que só é um bom ensinante quem for um bom aprendente.

Isso tem muito a ver com a atividade docente, mas também pode ser muito bem aplicado em outras ocasiões. Empresas inteligentes são aquelas que criam circunstâncias em que esse estoque de conhecimento não só possa ser inventariado como trazido à tona com situações que estimulem o intercâmbio de aprendizados. Existem várias organizações que fazem círculos de inovação, células de conhecimento, eventos para difundir informações e gerar conhecimento. Especialmente as empresas que lidam com inovação e que contam com um portfólio expressivo de produtos têm por rotina realizar eventos em que juntam pessoas com formações e experiências diversificadas para permutar conhecimento.

É preciso inventar "tempos de aprendizagem", e estes nunca são "perda de tempo" nem devem ser sempre acelerados.

O desafio hoje é que vivemos num mundo onde há pouca atenção focada e muitas distrações. Nos falta um pouco de tédio, um período para nos dedicarmos mais à reflexão, à meditação. Quando não tínhamos tanto o que fazer, costumávamos pensar mais. Eu ainda cultivo esse hábito: edificar momentos de tédio.

Atualmente, se faltar energia elétrica em casa, se houver problema com o wi-fi, se o aplicativo de mensagens ficar fora do ar, as pessoas ficam atônitas, com dificuldade em se situar. Temos uma convivência muito preenchida por atividades, conexões e obrigações que reduzem os tempos destinados ao pensamento, à reflexão.

Um dos elogios mais fundos que recebo em relação a alguns textos que produzo ou a falas que faço é quando a pessoa diz: "Cortella, você falou o óbvio e eu nunca tinha pensado nisso". Isso acontece com alguma frequência com pessoas da área de Filosofia.

Evidentemente, eu não falei o óbvio no sentido que o dramaturgo Nelson Rodrigues (1912-1980) chamava de "óbvio ululante". Mas falei algo que, mesmo estando à volta da pessoa, ela não tinha notado daquele modo. Isso se dá porque a minha profissão me permite observar as coisas e pensá-las – ou, para usar uma expressão lusitana de que gosto, "sopesá-las" – um pensamento que é muito mais analítico do que sintético.

Entretanto, estes tempos em que vivemos são muito mais afeitos à síntese do que à análise. Hoje a velocidade nos induz a uma compreensão imediata, que não valoriza as nuances, muitas vezes até as ignora.

No Jornalismo, chama-se de *lead* o trecho que reúne de forma sintética as principais informações da matéria. Hoje algumas formas de ensino são como o *lead* jornalístico. Esse recurso permite, de fato, que se tenha uma informação veloz, mas não significa que ela será apropriada, no sentido de tornada própria. Isso tem um impacto na aprendizagem de crianças e de adultos.

Por isso, é necessário fazer pausas. Porque elas são a interrupção proposital daquilo que é pouco criativo. Não é casual que os gregos tivessem uma expressão para a pausa, aquele momento de não envolvimento com a atividade estritamente produtiva: *scholé*. Os latinos vão traduzir essa expressão como *otium*. Se você ficar o tempo todo no negócio, *nec* + *otium*, não terá tempo para aquilo que não é obrigatório, o ócio.

A ideia da *scholé* grega é forte porque ela gerou, em latim, a palavra "escola". O que é a escola? É o lugar onde a única obrigação mais forte é prestar atenção àquilo que não sabe.

A parada é uma forma de criar propositadamente os próprios momentos escolares – sem paredes, ordenamento mobiliário, mestre, mas quando cada um se torna mestre de si mesmo. E o autoconhecimento exige a capacidade de ir para a escola, a fim de de criar a possibilidade de entrar em contato com o novo.

Nesse contexto, a humildade é uma virtude decisiva, no sentido de que aquele com ascendência sobre outros deve se colocar como um igual, de ser tanto um emissor quanto um receptor de conhecimento, independentemente da posição hierárquica que ocupe. É quando acontece a permeabilidade interpedagógica. Uma pessoa inteligente partilha, auxilia, promove e usufrui dessa troca. Ela é capaz de ser permeável, isto é, de ensinar e de aprender com aqueles que estão à sua volta.

Muitas vezes na vida nós aproveitamos a hora após prestarmos atenção em outra pessoa que soube aproveitar a hora dela. É o aprendizado pelo exemplo, uma forma bastante eficaz de aquisição de conhecimento. Significa também economizarmos tempo de aprendizado.

Um dos fatores decisivos para a nossa existência é que não temos de recomeçar do zero com cada indivíduo. Embora cada ser humano venha sem os conhecimentos para existir, ele não precisa inventá-los novamente, basta que seja ensinado. Com isso, nós economizamos um tempo imenso na nossa trajetória coletiva.

Quando vemos a sabedoria milenar de algumas populações que, por exemplo, indicam que determinada planta é curativa, que tal alimento tem propriedades nutritivas, trata-se de um conhecimento que levou centenas de anos para ser construído, mas pode ser transmitido com facilidade.

A sabedoria milenar é importante para que sejamos capazes de reconhecer as situações que dizem respeito ao nosso próprio aprendizado.

Nossas avós diziam, por exemplo, "não há mal que sempre dure nem bem que nunca se acabe". Poderíamos constatar isso na prática, mas, se prestarmos atenção, essa frase pode servir de orientação em várias circunstâncias em nossa vida.

Os ditados populares são continentes de sabedoria porque resultam de séculos de reflexão. Alguns, de fato, são marcados por um conteúdo tolo, preconceituoso, excludente, mas boa parte nos serve de referenciais para pensarmos melhor em determinadas situações.

A pessoa humilde, portanto, aprende com quem sabe, independentemente de idade, anos de "casa", função, geração etc. Enquanto a pessoa arrogante fala para o outro: "Veja como deve ser feito", a pessoa humilde, que gosta de partilhar conhecimento, costuma dizer: "Veja como pode ser feito". O "pode ser feito" é um dos modos. O "deve ser feito" é uma imposição, equivale a dizer "se não fizer assim, estará errado". Nós geralmente bloqueamos a criatividade quando inserimos o imperativo sem razão mais funda.

Existe a clássica ideia de que as palavras "nunca" e "sempre" não se aplicam ao amor e à ciência. Também não valem para competência, aprendizado e aproveitamento de oportunidades...

CAPÍTULO 13

Pensar sobre mim, pensar minhas razões

"Conselho que uma vez ouvi darem a um jovem: Faça sempre o que você tem medo de fazer."
(R. W. Emerson, *Ensaios*)

Muitas pessoas se lamuriam ao acordar por ter de ir ao trabalho. Torcem para chegar o final de semana, com expressões como "Graças a Deus é sexta-feira". Possivelmente, grande parte dessa insatisfação decorre de dedicar tempo àquilo que não têm como um propósito na vida. Se eu passo o meu dia ocupado por algo que me vitaliza, que coloca a minha inteligência a serviço do meu propósito, aquela atividade não me esgota.

Considero importante reforçar uma distinção: emprego é fonte de renda, enquanto trabalho é fonte de vida. Trabalho gera vitalidade, emprego pode muitas vezes apenas dar dinheiro. Qual a diferença entre trabalho e emprego? O trabalho é aquela atividade que você faria até de graça. Há pessoas que encontram no emprego o trabalho que gostariam de ter, existem aquelas que não encontram e são infelizes, e outras ainda ficam apenas na rotina do emprego.

No que tange à gestão, é necessário gerar movimentos de estímulo, que podem acontecer de vários modos: incrementar a formação continuada, criar mecanismos de reconhecimento, promover a consciência da importância de cada atividade no conjunto da obra coletiva.

Todas essas medidas contribuem para que a pessoa ganhe energia. Ninguém motiva alguém, o que se pode é estimular. A motivação é movimento interno, mas pode ser ativada por um estímulo. Empresa inteligente faz isso, promove momentos de reconhecimento para que as pessoas se sintam autorais naquilo que fazem.

As empresas deveriam promover a reflexão sobre os propósitos pelos quais as pessoas fazem o que fazem naquele ambiente. Algumas temem que, ao suscitarem esse tipo de reflexão, o profissional abandone a companhia. É um risco. Por outro lado, quando a pessoa tem clareza dos motivos de fazer o que faz, ela costuma não só permanecer como ficar de modo mais engajado, contribuindo para gerar resultados mais consistentes.

De nada adianta a organização ter um grupo que age roboticamente, indiferente aos resultados ou vulnerável a perder energia no primeiro revés sofrido.

Encaro essa ação por parte da gestão como uma medida cautelar. Propiciar ocasiões que façam vir à tona as razões e os senões pelos quais alguém está ali é uma questão de estratégia. Um profissional engajado contribui muito mais para um caminho de perenidade da empresa do que aquele que traz apenas uma simulação de lealdade.

Vale lembrar que lealdade é reciprocidade. Se eu perceber lealdade por parte de quem me contrata, é claro que me sentirei impelido a retribuir com a minha dedicação. Se a empresa consegue cuidar de mim, se empenha em aumentar minha competência, não me coloca apenas como um peão de xadrez no tabuleiro, a reciprocidade virá.

Há outro aspecto que também relaciona trabalho à ideia de esgotamento, e esse diz respeito unicamente ao comportamento de cada indivíduo.

Existem pessoas que se enredam de tal maneira em suas teias de atividades e compromissos que acabam tendo uma grande justificativa para não se realizarem em outras esferas da vida. "Ah, eu sou muito ocupado", "não tenho tempo", "se eu largar, tudo desaba".

Essa atitude é caracterizada, por um lado, pela arrogância tola de supor-se imprescindível e, por outro, por um desejo de escapar de lidar com suas próprias questões (eu não sou da área de Psicologia nem da Psicanálise, mas é o que Freud colocava com muita clareza), que é o mecanismo de fuga. Afora aquelas tarefas que lhe são dadas, há pessoas que se incumbem de tantas outras, sejam operacionais ou de preocupação, que não têm tempo para elas.

E isso é até muito cômodo, embora pareça paradoxal. Porque, se ela tiver algum tempo, precisará fazer escolhas e, consequentemente, abdicações. Encarar essa situação é mais sofrido do que alegar ser extremamente ocupada e, portanto, incapaz de mudar de rota. Se houver um intervalo, terá de olhar para si, isto é, terá de defrontar-se.

Esses momentos são críticos. No filme *Taxi driver* (EUA, 1976. Dir. Martin Scorsese), a personagem Travis Bickle, interpretada por Robert De Niro, levanta uma questão decisiva. Diante do espelho ele pergunta: "*Are you talking to me?*", num sentido próximo de "e aí, vai encarar?".

Já me vi em situação semelhante. Eu não estava olhando para o espelho, estava pensando sobre mim, sobre ações, sobre atinos e desatinos da vida. Ao deparar comigo mesmo, quase que a frase foi "e aí, vai encarar?". E, nessa encarada, ficar pensando como se eu fosse o outro de mim mesmo. Aquela cena para mim representa momentos em que eu sou despertado de um torpor, uma situação passível de acontecer com qualquer um de nós.

Ao nos soterrarmos de obrigações, sem nenhuma priorização, evitamos nos encarar, ter essa espécie de enfrentamento.

Na perspectiva de a sorte segue a coragem, será uma coragem competente, se eu tiver nitidez do motivo pelo qual estou me encarando.

Isso é autoconhecimento, e não só no sentido mais contemporâneo da Psicologia. Na realidade, autoconhecimento é uma expressão da Filosofia clássica. Quando Sócrates levanta a ideia do "conhece-te a ti mesmo", induz a um movimento de reflexão filosófica, reflexão metódica, estruturada, em que a pessoa vai ter de se encarar.

O autoconhecimento não significa apenas que eu vou fazer um mergulho interior, prazeroso, deleitável. Não, eu vou ter de me ver com minhas glórias e virtudes, com minhas danações e encantamentos, com aquilo que eu sou. Obviamente, eu não sou o melhor avaliador de mim, sozinho. Por isso, o autoconhecimento não é possível de modo isolado. Não é se colocar introspectivamente no alto de uma montanha. Isso também pode ser feito, mas como uma das fases do processo de autoconhecimento.

O afastamento, a meditação, o silêncio procurado são condições que contribuem, mas não são suficientes, porque não conheço a mim mesmo de modo completo. Eu também me conheço pelo modo como os outros me veem, me sentem, me entendem.

Só em contato com outras pessoas, que são capazes de dizer como elas me conhecem, para que eu veja como os outros me veem e, assim, eu possa provar-me.

Estou usando essa expressão "provar-me" de propósito no sentido de experimentar. Na composição da palavra "experimentar", está a expressão *perire*, que significa provar, de onde vem a palavra "aperitivo" e também a palavra "perigo".

O perigo é algo que prova você. A coragem é quando você depara consigo mesmo e encara. Causa-me assombro quando o filósofo alemão Nietzsche (1844--1900) diz: "Quando você olha para o abismo, ele te olha de volta".

Nesse sentido, a ideia de experimentar a si mesmo, de se colocar à prova, do perigo que isso representa, há quem se recuse ao autoconhecimento. Por duas razões: porque pode desconstruir uma ilusão que tem de si mesmo e, segundo, para encarar e ser encarado é preciso estar disposto a ouvir poucas e boas – na realidade, ouvir muitas e más.

É curioso que em português, usamos o "poucas e boas" querendo dizer o sentido inverso. O fato é que não apreciamos ouvir muitas e más sobre nós mesmos.

Para que serve o autoconhecimento? Para que eu ganhe potência, vitalidade, energia, competência no exercício da minha existência. Para que eu seja autor de mim, tenha a minha autoria sobre mim mesmo, portanto seja autônomo. Eu não preciso ficar submetido às forças daquilo que é imponderável, aquilo que alguns chamariam de destino, de fatalidade, de fado.

Existe um imponderável, e sobre este quase nada conseguirei fazer, mas, no que se refere àquilo que não é imponderável, eu preciso agir com energia, inteligência, coragem, humildade e paciência.

CAPÍTULO 14

Tempo: aproveitar para não perder!

"A nossa existência é a soma de dias que se chama hoje, todos... Só um dia se chama amanhã: aquele que nós não conhecemos."
(Armand Salacrou, *A Terra é redonda*)

Partindo do princípio de que sou mortal, o meu tempo e a minha vida coincidem. Meu tempo é finito, eu sou finito. O que eu chamo de meu tempo é a minha vida. Meu tempo começou com a minha vida e com ela terminará.

Minha vida, visto que é finita, tem um tempo de validade. "O que faço da minha vida?" A partir dessa questão, eu tenho grandes escolhas a fazer.

"O que eu faço da minha vida?" requer que eu pense na minha história, mas preciso pensar também no momento atual. O que eu faço da minha vida hoje é como uso o meu tempo nesta jornada de agora, portanto no meu cotidiano.

A minha vida é composta por história e cotidiano. Com esse tipo de formulação, posso dizer que cotidiano é o hoje e a história é o conjunto de cotidianos enquanto eles existirem.

Eu só vivo o cotidiano. O que chamo de "viver a minha vida" é uma abstração, porque eu não vivo a minha vida, vivo um pedaço da minha vida a cada cotidiano. Assim sendo, eu não posso desperdiçar o meu tempo nesse cotidiano, pois seria perder vida.

Como vida é uma dádiva e é algo irrecuperável (não estou me referindo ao campo religioso e, se estivesse, como não sou reencarnacionista, a vida é mesmo irrecuperável e não posso desperdiçá-la), todo o meu cotidiano precisa ser bem aproveitado. Eu não posso perder tempo, que, no meu entender, é deixar de fazer aquilo que precisaria e deveria ser feito. Perder tempo é fazer o que não deveria nem precisaria ser feito.

O desperdício de tempo acontece quando não tenho nitidez de propósito naquilo que estou fazendo. Quando eu lecionava na graduação, costumava pedir para a turma: "Leiam o sexto capítulo do livro *Ciência e existência*, do Álvaro Vieira Pinto, chamado 'Teoria da cultura'". O aluno lia e na aula seguinte perguntava:

— Professor, o senhor não vai tratar do capítulo?

— Agora não. Vamos pegar outro gancho e a gente trata dele em outro momento.

— Ah, professor, eu perdi a tarde inteira lendo esse capítulo.

A minha pergunta teria de ser: "Perdeu ou usou esse tempo?".

Ele perdeu tempo se fez algo que não compreendeu a razão pela qual estava fazendo. Foi tempo perdido se ele estava apenas cumprindo uma obrigação, sem nenhum encaixe com o propósito dele. Mas ele ganhou tempo se aquilo o fez crescer. Usou o tempo para cumprir algo que fazia sentido.

Uma hipótese: seria possível fazer um curso de Filosofia em alguns meses? Em termos de contagem de horas, sim. Digamos que um curso de três anos, com duzentos dias letivos por ano, duraria seiscentos dias. Mesmo num curso noturno, com duas horas aproveitáveis, seriam 1.200 horas. Essa quantidade de horas, dividida por oito, que é o tempo de uma jornada de trabalho, totalizaria 150 dias. Considerando cinco dias da semana, seriam trinta semanas. O curso, portanto, duraria pouco mais de sete meses.

Qual o problema de fazê-lo nesse período concentrado, em vez de levar três anos para concluí-lo? Em tese, nenhum. Mas há que se considerar que a aprendizagem não se dá apenas porque houve contato com determinado assunto. Ela se processa no tempo de reflexão sobre aquilo.

A informação de hoje só será transformada em conhecimento depois de meditada, refletida, pensada no contexto das outras vivências que se tem ao longo da vida.

Por isso, insisto, em muitas circunstâncias, uma duração mais extensa no aprendizado não significa uma perda de tempo, mas o desenvolvimento da perícia.

Vale observar também que uma pessoa não terá maior perícia em determinada área apenas porque executa aquela atividade há mais tempo. Não se pode avaliar a experiência pela extensidade de tempo, mas pela intensidade da prática. E uma prática não será mais intensa quanto mais tempo for exercida – até porque ela pode ser rotineira e monótona –, mas quanto mais for pensada como prática.

Há uma expressão de Paulo Freire de que gosto demais: "o saber de experiência feito", portanto não um saber teórico, *stricto sensu*. É o saber da vivência, à qual Freire acrescentaria "a prática de pensar a prática é a melhor maneira de pensar certo".

A sensação de tempo desperdiçado resulta da falta de conexão entre o que fazemos e os nossos propósitos. Há momentos em que se está vendo um programa de televisão, ouvindo rádio, lendo um livro, e vem aquele incômodo: "Isso aqui é uma perda de tempo", "Não vou gastar meu tempo nisso". Se essa sensação bater, é o caso de interromper a ação e cessar o provável desperdício.

Há momentos em que é preciso cessar as obrigações para poder se dedicar a um tempo de fruição. Claro que as obrigações compõem a nossa vida e muitas delas estão coadunadas com o nosso propósito, mas é preciso abrir espaço também para as interrupções da ocupação obrigatória. E isso precisa estar nos nossos propósitos também. Pois a ocupação não obrigatória nos fará usar o tempo de outro modo, que é o tempo do prazer mais extensivo.

Isso varia conforme cada um. Eu, por exemplo, achava delicioso aproveitar o Carnaval no interior, com os bailes no clube. Para muitas pessoas, isso é visto como perda de tempo. De minha parte, eu adorava aquele período de sexta-feira à noite até a quarta-feira de cinzas. Eram cinco noites em que, dos 15 aos 18 anos de idade, eu me dedicava a passar das 23h às 4h girando num salão, cantando músicas sem nenhuma expressividade poética, mas de uma alegria imensa, levantando as mãos para o céu. Ao chegar a casa às 4h30, com o som da orquestra ainda ecoando no ouvido, eu ainda demorava uma hora para conseguir dormir. E, no dia seguinte, fazia tudo de novo. Todas as noites a mesma orquestra executava as mesmas músicas, o que mudava para mim era a fantasia. Cada noite eu ia com uma, todas absolutamente ridículas: orelha de tigre, bebê com fraldona e mamadeira. Todos os amigos fazíamos isso.

Para que serviam aqueles cinco dias? Para absoluto prazer. Não desfrutá-los significava perder o ano. Aproveitar aquele período era sinônimo do que o poeta português Luís de Camões (c.1524-1580), em *Os Lusíadas*, chamava de refocilar, que é quando você para e descansa. Aqueles dias de Carnaval me refocilavam em alto estilo.

Muita gente associa a ideia de tempo perdido quando não está numa atividade rentável. Mas o que é rentável? Fazer um piquenique, dançar a noite toda, ler um livro de poesia, assistir a um seriado, jogar videogame, ouvir música podem não ser atividades produtivas, comerciais, monetariamente rentáveis, mas são existencialmente rentáveis.

Quando, há cerca de trinta anos, o sociólogo italiano Domenico De Masi começou a falar de ócio criativo, tinha essa ideia de não investir a sua energia e o seu tempo apenas naquilo que era o produtivo imediato.

Tem um ócio que eu aprecio mais, que é o ócio recreativo, quando se escolhe reservar um tempo em que não se tem nenhuma obrigação, nem mesmo de ser criativo. O que os latinos chamavam de vagamundo. Dar uma volta, flanar. Há uma diferença entre "vou dar uma volta" e "vou dar seis voltas em torno do parque para fazer uma caminhada".

Atualmente, ocorre uma objetivação excessiva do tempo livre. A ideia de ficar desocupado é quase insuportável para algumas pessoas. Elas vão se soterrando de tarefas, de incumbências. A vida vai sendo pautada por metas, objetivos, prazos, e são essas obrigações em sucessão que vão estabelecendo as marcas do tempo.

Toda vivência, em última instância, tem uma consequência, um proveito. Há momentos em que o proveito é a própria fruição do tempo livre. Por isso, essa ideia da oportunidade de dar uma parada, fazer uma pausa, não pode ser marcada por um utilitarismo obsessivo.

Como afirmou De Masi, o ócio pode ser de fato criativo. O tédio cria um ambiente absolutamente fértil para a criatividade vir à tona. A arte seria impossível com a ocupação contínua. Só existe arte, Filosofia, inovação, digamos, por conta da desocupação eventual.

Muitas vezes é nesse tempo descompromissado que surgem soluções.

CAPÍTULO 15

Tempo livre, competência e inventividade

"A liberdade não é a ociosidade;
é o emprego livre do tempo, é escolher
o trabalho e o exercício. Ser livre, em suma,
não é não fazer nada, é ser o único árbitro
do que se faz ou do que não se faz."
(La Bruyère, *Os caracteres*)

Certa vez, eu estava enfrentando trânsito completamente parado na avenida 23 de Maio, uma movimentada avenida de São Paulo, quando pensei: "Poderia fazer uma palestra em forma de haicai sobre vida e carreira. O que precisa na vida? De equilíbrio vital. Mas também de integridade. Então vou rimar: equilíbrio vital e integridade pessoal. Honestidade moral. Humildade... intelectual. Generosidade... mental. Persistência... focal".

Dessa sucessão de ideias, nasceu não só a palestra como o tema central do que viria a ser um livro. Tudo se deu a partir de um momento de abstração e, inclusive, de desocupação momentânea.

A criação da pausa ajuda no refinamento do espírito, cria erudição. A palavra "erudito" significa "aquilo que será polido". Esses tempos de parada, cada vez mais difíceis de serem reservados, nos fazem falta. Esse giro sempre alto das pessoas, essa incapacidade de silenciar, tirou de nós muitos mecanismos de aprendizado.

O filósofo grego Aristóteles (384-322 a.C) não só é fundador de uma escola chamada Liceu como também da metodologia denominada peripatética, cuja ideia era caminhar para pensar.

Eu tive uma formação peripatética. Estudei Filosofia com os jesuítas em um *campus* na Via Anhanguera, que liga a capital ao interior paulista, e éramos uma turma de vinte alunos. Parte das aulas fora de sala de aula era dada num bosque, no meio da mata, com o professor andando e os vinte em volta.

Eu nunca me esqueço do meu professor de Metafísica, que andava com a mão para trás, chutando pedrinhas e falando sobre Platão, Aristóteles, Heráclito. Aquela mata era inspiradora para a nossa reflexão e aprendíamos também a memorizar porque não havia como anotar os ensinamentos.

A pausa programada é a capacidade de observar ou de, para usar um conceito de Aristóteles, *admirar* (mirar em direção) mais o mundo. Essa admiração do que está à nossa volta recheia a nossa capacidade de conhecimento e fortalece a nossa competência.

Isso também vale para a gestão das empresas. Promover pausas, propiciar contato com o inédito, estimular a visão daquilo que é familiar a partir de uma perspectiva diferente cria um ambiente mais afeito ao pensamento inovador. Além disso, todos esses movimentos enviam a mensagem de que a organização realmente se interessa pelas pessoas, cuida do desenvolvimento delas. E, como já mencionei, quem se sente cuidado tende a querer cuidar da outra parte também. Isso torna a relação mais sustentável. Profissionais tendem a permanecer no lugar onde aprendem, crescem, expandem seu potencial.

Empresas que pretendem construir futuro precisam seguir nessa direção – e de forma genuína. Quando o discurso de que o maior ativo da organização é sua gente, isso precisa ser demonstrado na prática.

Hoje a noção de desenvolvimento da competência está incorporada à própria ideia de trabalho. A empresa inteligente busca transformar todas as situações possíveis de seu cotidiano em ocasiões de aprendizagem.

A escola, no sentido institucional, significou e significa isso para muitos de nós. Afinal, o princípio de ir à escola é buscar aquilo que não se sabe. Para aquilo que já se sabe, não seria necessário lá estar.

Por que a escola é desinteressante hoje para uma parcela imensa de crianças e jovens? Porque aquilo que foi profundamente atraente na escolarização formal há trinta, quarenta anos hoje se encontra ao alcance dos dedos, sem nenhuma dificuldade.

Quem foi Gêngis Khan? O que é um coleóptero? Quais os afluentes das margens esquerda e direita do rio Amazonas? Essas questões geravam uma hora de aula. Hoje, qualquer aluno com um celular obtém essas respostas em segundos. Assim, a curiosidade tem de ser despertada de outros modos.

No ensino escolar, a Grã-Bretanha foi uma das pioneiras no uso da tecnologia digital em larga escala em sala de aula. Após uma reavaliação, houve um recuo, mas não a retirada. Percebeu-se que o digital tem um componente distrativo muito forte, o que pode dificultar a compreensão. Em algumas atividades, fazer uma exposição de modo tradicional facilita o aprendizado. Uma criança presta muito mais atenção numa contação de história – mesmo com floreios e tempos estendidos – do que se aquela mesma história fosse contada de forma sintética.

Nessa circunstância, a plataforma papel é mais efetiva que a digital. Texto no papel dá outro tipo de mobilidade não só do manuseio do material como das ideias. Evidentemente, ninguém em sã consciência dirá: "Então, cessemos o digital e voltemos ao papel". Porque são mídias convergentes e não concorrentes. Há conteúdos que eu prefiro guardar no digital e outros que funcionam melhor em outras plataformas. O livro enriquece o ócio!

Estar no ócio significa a oportunidade de ir em busca do que não se sabe. Aquilo que já é sabido não passa de mera redundância. Aquilo que eu não sei é o que vai me fazer crescer.

A escritora Clarice Lispector (1920-1977), nascida na Ucrânia, mas que viveu no Brasil, tem uma frase estupenda: "Aquilo que eu desconheço é a minha melhor parte". Dizendo de outro modo: o melhor de mim é aquilo que ainda não sei, porque é o que me renova, me revigora, me reinventa. Aquilo que já sei apenas me repete.

Por que viajar é altamente educativo? Porque é a nossa colisão com aquilo que não nos é habitual. Especialmente se formos para lugares que não conhecemos, entrarmos em contato com culturas diferentes da nossa, experimentarmos pratos nunca antes degustados, olharmos cores com as quais não estamos habituados, ouvirmos músicas com sonoridades que não nos são familiares.

Fico imaginando se eu estivesse num trem pela Patagônia, lugar que não conheço, numa viagem com uma paisagem magnífica, mas, enquanto o trem estivesse indo, eu ficasse olhando o celular. O que aconteceria? Eu estaria de volta ao confortável, para o que me acalma, que é a paisagem já vista. Mas isso seria extremamente negativo.

Quando eu, tendo a possibilidade de olhar para aquilo que para mim é inédito, olho mesmo, fortaleço a minha competência. Por isso, a pausa é a atitude deliberada de prestar atenção.

Distrair-se da distração, retirar as amarras da obrigação e seguir em direção a cenários, cenas, horizontes novos.

O horizonte é uma ilusão de óptica. Quando você está indo em direção ao seu horizonte, de fato, lá você não chega porque o horizonte se desloca. Mas essa busca é o que move você. Nesse sentido, o que é a pausa?

É a possibilidade, enquanto se caminha em direção ao horizonte, de parar e se situar.

Olhar à volta, prestar atenção ao caminho.

Se eu não quiser um repertório repetitivo, que deixe minha competência fadigada, preciso prestar atenção ao que o poeta Carlos Drummond de Andrade observou que "no meio do caminho tinha uma pedra".

Uma das grandes brilhantezas do Drummond é nos fazer observar que tem uma pedra no caminho. Porque, quando ele diz que "Tinha uma pedra no meio do caminho / No meio do caminho tem uma pedra", é assim que você reconstitui a renovação do seu olhar, da sua concepção, da sua percepção.

Há uma frase de autoajuda que circula na internet que diz algo como "junto as pedras do meu caminho para fazer o meu castelo". De fato, há quem faça isso. Mas, para você juntar as pedras do caminho e edificar o seu castelo, é necessário notá-las.

A sua jornada tem de contemplar momentos de pausa para prestar atenção.

CAPÍTULO 16

O tempo passa mais depressa?

*"Um gosto de amora / comida com sol. /
A vida / chamava-se: 'Agora'."*
(Guilherme de Almeida, "Infância")

A percepção da passagem do tempo varia conforme a nossa quantidade de tempo livre. Quando se tem muito tempo, a assimilação do tempo é elástica. Quando se tem menos tempo, ela é comprimida.

Exemplo: a nossa memória dos oito anos ou nove anos que passamos no ensino fundamental é de um tempo imenso. Dos 6 aos 15 anos de idade, é um período recheado de lembranças. Mas, se você estiver na faixa dos 40, 50 anos de idade e contabilizar oito anos para trás, a sensação é de que esse tempo não é tão extenso – vai parecer até relativamente pouco.

Na infância, a sensação era que levava muito tempo para o final do ano chegar, para as férias começarem. Um mês de férias em janeiro era um período infindo. Hoje, se você dispõe de trinta dias de férias, na primeira semana ainda está se desconectando do que estava fazendo. Na segunda e na terceira, você sai da rotina (embora hoje não saia de vez, por causa da tecnologia). Na quarta semana, já tem de se organizar para a volta.

Quando eu fiz o ensino fundamental em Londrina, em escola pública, havia aulas aos sábados, o dia de parada era domingo. A semana demorava para passar. Na época do ensino médio, eu recordo que um período de três anos, dos 15 aos 18, era um tempo em que eu poderia tirar carteira de motorista, viajar desacompanhado, voltar mais tarde para casa. A minha sensação interna era de muito tempo.

E o que são três anos hoje? Dos meus 60 anos aos meus 63, esse tempo foi nada. Essa percepção está ligada à intensidade de relações, de vivências, de conexões e de tarefas. Isso significa que, quanto mais vivência se tem, mais a passagem do tempo vai ficando veloz.

Lição para casa era algo que você tinha clareza de que ia ocupá-lo uma hora e era uma obrigação, tanto que até o pai e a mãe falavam: "Faz a lição antes de brincar". Lição, uma hora; brincar, cinco ou seis horas. Hoje a lição para casa continua sendo dada para um menino de 16, 17 anos, mas, por causa da tecnologia, essa divisão não é mais estabelecida. A casa anda com ele, os contatos o estão solicitando continuamente, as obrigações e o lazer também o acompanham o tempo todo.

Eu, por exemplo, não tenho WhatsApp. Essa é uma escolha porque não desejo mais uma lição de casa. Não quero ter de responder "bom dia" para oitocentas pessoas. Temos uma avalanche relacional, não só de conexões como de tarefas, que, muitas vezes, nós mesmos nos impomos.

Até uns anos atrás, uma das sensações mais gostosas que se tinha era esperar a sessão do cinema começar. Tocava música na sala, as luzes iam se apagando antes do *trailer*, era sinal de que o filme estava para iniciar.

O que a gente fazia enquanto estava na poltrona esperando o início do filme? Se fosse moleque, bagunça. Se fosse adulto, ficar pensando em como havia sido o dia. Quando o filme acabava, a gente tinha paciência para ver o letreiro e ficar ainda entorpecido com a história. Como as salas eram muito grandes, com mais de quinhentos lugares, havia esse entorpecimento. Sair, orientado pela luz do lado de fora da sala, era um movimento em que se ia desconectando do filme aos poucos. Hoje, quando os letreiros aparecem ou quando colocam o *making of*, as pessoas já estão olhando o celular.

Eu não sou avesso à tecnologia, isso seria tolice. O que me chama a atenção é essa espécie de aprisionamento, aquilo que o filósofo francês Étienne de La Boétie (1530-1563) chamava de servidão voluntária. Nós somos servos do servidor. Estamos a serviço de grandes servidores.

Digo isso em tom de brincadeira, mas a nossa relação com o computador ou com uma inteligência artificial precisa ser mais bem pensada. Não se trata de descartar o uso da tecnologia, mas sim de fazer uso com inteligência. Do contrário, fica difícil achar a oportunidade, a ocasião, a circunstância.

Se estivermos mergulhados, absortos no mundo virtual, não teremos condições de nos rever, nos revisitar, de mexer nas nossas gavetas.

O uso de algumas tecnologias nos induz a olhar para dentro, produzindo uma espécie de encapsulamento. Como nossa atenção fica pulverizada, nos falta tempo para nos encontrarmos – não só como autoconhecimento, mas como capacidade de enxergar as oportunidades.

Há trinta, quarenta anos, os marcos temporais de uma infância eram muito diferentes do que são hoje. Os eventos significativos, memoráveis, eram episódicos e espaçados. Atualmente, a pressa do cotidiano nos leva a quase grudar um evento importante em outro – o que faz com que haja uma diluição dessa importância.

Alguém que tem uma vivência com sucessão de fatos significativos fica alijado de apreciar a paisagem.

Uma das coisas que eu adorava quando menino era viajar, porque me permitia uma fruição do horizonte magnífica. Minha família saía de Londrina rumo às praias de São Paulo, dado que a comunicação com as praias do Paraná era muito mais difícil, pelas condições das estradas naquela época. Era mais fácil vir ao litoral sul paulista.

Havia muitos eventos na viagem, porque se demorava dezesseis, dezessete horas de carro para percorrer seiscentos quilômetros. Nós tínhamos as nossas marcas do caminho: o posto de combustível em que se parava, a ponte do rio Tibagi, a do rio Paranapanema, o lanche em Itapetininga, isso ia fazendo sentido. Minha mãe, sabiamente, dizia que só a viagem já era um passeio. Essa expressão tinha um sentido forte: o deslocamento já era uma diversão.

Antes, a paisagem distraía, descansava, serenava. Acalmava o trajeto. Hoje, qualquer viagem se dá sem muita observação do que está em volta.

A tecnologia nos induz a mantermos o foco no virtual. O motorista fica mais atento ao aplicativo que dá as indicações do caminho e os passageiros respondem às demandas do mundo virtual enquanto se deslocam.

Perdemos a possibilidade da fruição da paisagem, de ampliar nosso universo de visões, imagens. Olhar para o mar ao longe, para as nuvens, para a velocidade do trem ou do carro, isso tudo compõe um universo circunstante que foi substituído por outro, indiferente. É a quase transformação da nossa realidade numa maquete virtual.

O fato é que o percurso foi desnaturalizado. O caminho perde importância, gerando algo próximo ao que o sociólogo alemão Max Weber (1864-1920) denominava desencantamento do mundo.

É o desencantamento do real e, portanto, o caminho se tornou só o meio para o objetivo final. O trajeto deixou de importar.

Quando uso a expressão "importar" é no sentido de "portar para dentro", aquilo que trazemos para dentro de nós. E, nesse caso, estamos deixando de importar a paisagem. Ela deixou de ser importante e agora tem de ser ignorada, porque atrapalha.

Se eu olhar para fora, corro o risco de perder a próxima indicação do aplicativo. Quando deveria ser o contrário: observar a paisagem deveria ajudar a me situar.

Com essa dinâmica atual, nosso repertório de imagens vai se reduzindo.

CAPÍTULO 17

Gerações, convivência e oportunidade recíproca

"Muitas vezes a juventude é repreendida por acreditar que o mundo começa com ela. Mas a velhice acredita ainda mais frequentemente que o mundo termina com ela. O que é pior?"
(Friedrich Hebbel, *Diários*)

Lidamos com tantas demandas no nosso cotidiano que muitas vezes a sensação é de estarmos num movimento semelhante ao de um torvelinho. Vamos circulando em ritmo acelerado, carregando nossas angústias se conseguiremos dar conta de tudo. Não sei se desse redemoinho escaparemos, mas eu não posso ficar dentro dele de modo conformado.

Um desdobramento dessa situação é que hoje, como nos ocupamos com muito mais questões do que antigamente, o tempo para a autodedicação diminuiu.

Eu estou lotado de preocupações, de compaixões que não são apenas referentes à minha família. Estou preocupado com os refugiados, com as vítimas de tragédias naturais, com os rumos do país, com uma série de coisas. Esse leque de preocupações faz com que eu acabe escapando de mim.

Às vezes, essas preocupações excessivas são distrativas. Isto é, eu me distraio de mim e para todas as demandas que surgem, o mais fácil é alegar: "Não tenho tempo". Se eu me deixar levar por essa toada, será difícil eu me rever, me reorientar, me reinventar, enfim, cuidar de mim mesmo. Na música "Mundo Maluco"*, que compôs com David Nasser e Nelsinho, Moacyr Franco canta: "Não posso parar / Se eu paro eu penso / Se eu penso eu choro".

Por mais empatia que se tenha, fica impossível dar conta de tudo. Há uma hora em que você se anestesia porque tudo fica óbvio, banalizado. Há algumas décadas, se algum vizinho da rua ou do bairro tivesse uma doença ou sofresse um assalto, aquilo era motivo de perturbação das pessoas. Predominava o espírito de solidariedade. Hoje, fatos dessa natureza têm tal nível de frequência que o efeito é de anestesia. Sua casa foi furtada, você foi roubado, houve uma doença na sua família e "vida que segue". Essa indiferenciação produz um efeito malévolo: o nível de preocupações que se tem é tamanho que eu acabo não me ocupando de nada.

Durante séculos, a geração mais idosa ajudou a formar a geração mais jovem; agora, essa ocupação tem encontrado em muitos adultos um nível forte de desistência ou desalento. "Eles não querem saber de nada! Acham que já sabem tudo!"

---

* "Mundo Maluco", Moacyr Franco, David Nasser, Nelsinho; RCA Victor, 1965.

Ora, choque de gerações é algo que existe há várias gerações. Cada tempo carrega suas características, mas há sempre o que aprender de lado a lado.

Essas novas gerações que conosco se educam precisam domar melhor a inconformidade para que essa energia não seja uma insolência inútil.

Mas há uma rebeldia na nova geração que nos serve de alerta. Quando a gente ouve um jovem dizer "eu só quero fazer o que eu gosto", nossa tendência é sermos complacentes ou até arrogantes. Quase como se déssemos uma batidinha no ombro para dizer: "Espera, jacaré, que a lagoa um dia há de secar" ou "a vida vai te ensinar", que é quase uma prescrição – "você vai ser domado, é só questão de tempo".

Essa bravura indômita que os jovens têm em alguns momentos é desarranjada, pode ser malévola até, mas, em outros, é extremamente provocativa, porque ela nos faz pensar.

Se um filho ou um jovem recém-chegado ao mercado de trabalho questiona: "Para que eu preciso saber isso, por que tem de ser desse jeito?", a tendência de uma pessoa que já está no circuito de trabalho ou com uma carreira mais extensa é ficar incomodada e responder "cresça e apareça".

Mas essa postura do jovem não é necessariamente insolente. Ele está em busca de clareza, quer saber o propósito daquilo que faz.

Quando lancei o livro *Por que fazemos o que fazemos?*, houve alguma polêmica por eu ter chamado a nova geração de mal-educada, e não mal escolarizada. Contudo, o que queria e quero insistir é que há ali uma energia desarranjada, descontrolada, mas o questionamento é positivo.

É muito comum que jovens e crianças enxerguem hoje nos pais algum cansaço e até tristeza naquilo que fazem.

O pai e mãe dizem "eu trabalho para sustentar, esse é meu trabalho". Há uma grande conformidade. E essa conformidade de certa forma acabou marcando uma nova geração, a *millennial*, que traz aí a necessidade de ter algum projeto de vida. Eles não querem repetir um modelo que, embora esforçado, dedicado e valoroso, soa, de certa maneira, conformado.

Hoje, há uma aflição muito grande na nova geração que se traduz numa expressão comum: "Eu quero fazer alguma coisa que eu goste e que me torne importante". A geração anterior tinha um pouco essa preocupação, mas deixou um tanto de lado por conta da necessidade.

Há uma distinção entre ser revoltado e ser revolucionário. A pessoa revolucionária é aquela que altera nela e na comunidade algo para uma direção positiva e melhor do que a anterior. O revoltado só fica no campo da mera agitação. A maneira como canaliza a energia que tem faz toda a diferença.

Por outro lado, é compreensível que as pessoas da geração anterior fiquem incomodadas.

Essa nova geração, especialmente nas classes A, B e C, cresceu com facilitações na vida. Um sinal disso é que se fala em "adolescência estendida", que vai até os 30 anos, e não necessariamente até os 18 anos.

São pessoas que continuam morando com os pais e por eles sendo sustentadas. Essa comodidade acabou levando também a uma atitude de uma parcela dos jovens que entende que desejos são direitos. Se querem algo, outro vai tratar de providenciar.

Gera-se assim a perspectiva equivocada de que as coisas podem ser obtidas sem esforço. Se essa distorção for estimulada, haverá embates e, sobretudo, muita frustração ao longo da vida. Especialmente quando encarar a realidade do mundo do trabalho. Afinal de contas, trabalhar dá trabalho!

Sim, exige disciplina, fazer algo mais maçante para ter um resultado mais gratificante lá na frente, lidar com pessoas que têm outros pontos de vista.

Se, de um lado, existe um potencial de atrito nesse convívio, de outro, não se deve desprezar a riqueza que essa nova geração traz em termos de criatividade, repertório, receptividade à diversidade, capacidade de comunicação. É uma geração com repertório, mas que requer um disciplinamento, que não precisará ser necessariamente desgastante, se houver um olhar pedagógico nessa formação.

Com inteligência estratégica, algumas empresas estão preparando seus gestores para acolher essa nova geração como um patrimônio, e não como um encargo. Porque, se for encarada como um encargo, em vez de representar sangue novo, com potencial renovador, ela pode se tornar um manancial de conflitos.

É necessário que o gestor que a receba tenha postura acolhedora, mas que também tenha humildade pedagógica. Que a pessoa saiba que vai aprender muito com alguém que chega com novas habilidades. Existem profissionais que veem no jovem uma ameaça, ficam com receio de serem superados, de perder espaço. Isso só acontecerá se, realmente, desprezarem o conhecimento de quem chega com coisas novas.

Trata-se de uma via de mão dupla: é preciso ensinar, mas também se aprende muito com quem chega.

O jovem também precisa lidar com essa condição, encarar como oportunidade de aumentar o seu repertório e a sua vivência. De novo: essa relação deve ser pautada por dois princípios: quem sabe reparte; quem não sabe procura quem saiba.

Se a gestão tiver a capacidade de formar seniores e juniores nesses dois princípios, de um lado terá generosidade mental e, de outro, a humildade intelectual.

Essas duas trilhas virtuosas serão decisivas para obter potência para construir um futuro de forma sustentável, e isso não tem nada a ver com sorte.

CAPÍTULO 18

O tempo passa; e nós?

"Teu braço invicto é, mas não é invencível."
(Corneille, *El Cid*)

Costumo brincar que, se houvesse um aplicativo de localização na história infantil de João e Maria, eles jamais se perderiam na floresta. Mas também nunca iriam notá-la.

Na mitologia grega, a empreitada de Teseu no combate ao Minotauro só é bem-sucedida porque ele prestou atenção no labirinto, e não apenas no fio dado por Ariadne. Há uma descoberta naquele percurso intrincado. Ali Teseu cresce e consolida sua imagem de homem destemido.

Olhar para dentro é importante, sempre. Convém, entretanto, retomar a ideia clássica do filósofo espanhol Ortega y Gasset (1883-1955): "Eu sou eu e mais a minha circunstância". Eu não sou apenas eu. Sou a soma de mim e o que está à minha volta. Uma visão, portanto, que se amplia para o exterior. E nós somos um ser para fora. Por isso, nós temos existência. Existir: "ser para fora".

Estamos vivendo um momento de obscurecimento da paisagem. Retomando: durante muito tempo, olhar para fora, pela janela do carro, era decisivo nas viagens que fazíamos. Fosse qual fosse. Num carro, trem.

A primeira vez que eu peguei o trem-bala de Tóquio a Kyoto, em 1984, eu vi o monte Fuji pela janela e, quando olhei de novo, ele não estava mais. Eu tive um flash do monte Fuji e não queria ter um momento tão fugaz diante daquela paisagem. Afinal, eu tinha certa familiaridade com aquele cenário. Eu já o tinha visto milhares de vezes, ainda que como imagem, porque Londrina teve um significativo fluxo de imigrantes japoneses. Quase toda casa de amigo tinha um retrato ou quadro do monte Fuji.

Quando eu bati o olho na lateral do trem, claro que eu me lembrei, mas não pude fruir a concretude daquele monumento da natureza. Não deu tempo. Mas, na volta, propositadamente, eu desci duas estações antes e peguei um carro para que pudesse apreciar aquela paisagem e aprender sobre o monte Fuji, que estava ali, de forma real, diante dos meus olhos.

Aquela cena do monte, imponente, ficou marcada de forma indelével na minha memória. Essa é outra mudança que a tecnologia trouxe. Hoje a tendência é que a memória fique na memória do celular. E, mesmo que haja o registro de muitas cenas importantes, na hora de vê-las, temos o olhar tão apressado quanto o percorrer do dedo.

Basicamente, as memórias foram ficando mais fluidas e, com isso, o aprendizado também. Quando se tem memórias de eventos importantes, elas fazem com que você tenha um tempo de maturação entre uma situação e outra.

O aprendizado com a vida ficou mais difícil nos tempos atuais. Hoje as coisas se dão em sucessão tão veloz que eu tenho a informação, mas não necessariamente o aprendizado. Mal eu começo a assimilar, a fruir, a digerir um tema, já aparece outro na sequência.

A celeridade e a densidade de eventos quase não nos permitem tempo para observar o inédito, até porque tem muito inédito em sequência. Não dá mais para refletir muito tempo sobre uma primeira página de jornal. Ao entrar numa página da internet, logo se está em outra e se pula para outra e outra...

Eu considero que um dos fatores que estão revigorando o livro na plataforma papel não é uma onda saudosista, mas é algo de natureza similar ao que nos leva a fazer pizza em forno a lenha. É a possibilidade de dar elasticidade ao tempo, em vez de comprimi-lo.

Se o *fast food* por um lado estabeleceu a ideia de praticidade na alimentação, por outro passou a nos enfastiar também em relação ao produto feito em linha de produção. Para uma criança ou adolescente, ainda não pesa essa sensação, porque não precisa perder tempo escolhendo, o desenho está lá. A praticidade fala mais alto. Ela aponta o dedo e escolhe comida por imagem e por número. Nessa forma ideogramática, a imagem induz à tomada de decisão. E é mais uma entre tantas imagens que passam em sucessão no nosso dia a dia.

Uma reflexão pertinente nos nossos dias é até que ponto devemos acatar e até que ponto devemos recusar algumas mudanças. Nós precisamos resistir àquelas alterações que são malévolas, ruins.

Não temos nenhuma obrigação de aderir a um mudancismo desenfreado, só porque preconizam que é preciso mudar. Há coisas que vieram do passado, que são antigas, mas não são velhas.

Dificilmente alguém entra num restaurante que coloca um cartaz "temos os melhores micro-ondas da cidade", mas, se anunciar que a comida é feita em fogão a lenha, a atratividade será muito maior.

Há coisas que precisam ser mudadas porque perderam vitalidade e outras, que se mantêm com força, com inteligência, não carecem de alteração. Há momentos em que não mudar significa estagnar e, isso sim é fatal, pois, claro, o tempo passa.

Quando a relação com o tempo se altera? Quando você se sente mais responsável por alguém e passa a ter medo da morte, sentimento que antes não se fazia tão presente. A morte, a partir desse momento, significará também o abandono involuntário de alguém de que você precisa cuidar, e esse sentimento é mais forte quando, por exemplo, eclodem, de variados modos, a paternidade e a maternidade.

Quando há outro ser humano para quem você toma todas as providências para que ele não pereça, a sua forma de vida perecível fica mais nítida, isto é, "eu não posso morrer agora".

Pode-se perguntar: "E antes podia?". Até podia, porque não havia tantos laços. Agora existe um laço forte que não se quer abandonar para não haver desamparo. Esse é um aspecto.

Mas há um segundo fator: a paternidade ou a maternidade, seja por geração, adoção ou convívio, modifica a percepção do tempo.

Aquele pequeno ser, que agora está no cotidiano de uma maneira muito intensa, passa a reger o seu dia e a sua noite. Afinal, é um ser que tem necessidades contínuas, que até os 5 anos de idade é inoperante; então, você passa a ter a vida regrada também fora do trabalho. De maneira geral, a vida no emprego é regrada, com horários de entrada, almoço, saída, prazos e mais prazos a serem cumpridos.

Esse ser, num primeiro momento, dá um regramento e faz você ter algo que não tinha: tempo livre para pensar. "Como tempo livre, se nem dormir direito eu posso?" É que, enquanto você espera aquele ser dormir de vez, em que está sentado com ele ou o balançando pela sala, você está pensando.

A percepção do tempo que se tem disponível varia conforme a necessidade de partilhá-lo. Quando eu não era casado, tinha todo o tempo do mundo. Casado, passei a ter quase todo o tempo do mundo e podia partilhá-lo com a pessoa com quem convivia. Com filho recém-chegado, meu tempo deixou de ser meu, passou a pertencer a um ser que eu deveria criar e formar. Somente após certo tempo, quando esse ser já tivesse condições de tomar conta do tempo dele, eu ficaria novamente com o tempo mais liberado.

E, como é também meu caso, a "avosidade"? Esta cumpre uma tarefa diferente da paternidade. Embora avô e avó, em muitas famílias, cuidem muito, nessa fase da vida o temor da morte existe, porém de forma menos intensa, porque a eternidade está garantida em duas gerações.

O receio maior nessa etapa da existência é que a sua falta faça falta. Existe um egoísmo também – um bom egoísmo, de prazer interno: "Eu quero viver mais porque quero aproveitar mais a vida com os meus netos".

A minha paternidade me deu a percepção da necessidade de cuidar mais de mim, porque eu tinha de quem cuidar. Paralelamente, a minha mortalidade ficava mais nítida. Quando eu entrava num avião, num elevador, pensava: "E se isso aqui cair? Se isso aqui desabar, quem vai ficar com meu filho?".

Como avô, meu raciocínio é outro: "Será que esse tempo de vida que eu tenho poderia ser fruído com meus netos, brincando, ensinando, será que eu ainda terei esse carinho?". Sei que se eu partir agora eles seguirão a vida, pois têm pai e mãe; se não tivessem, a história seria diferente, eu teria de voltar ao território da paternidade, mesmo sendo avô.

A maternidade ou a paternidade, seja de que modo forem, interrompem o fluxo contínuo. Ela dá ideia de eternidade, porque, ao gerar ou cuidar de outro ser, você continua no tempo. A sua mortalidade fica diminuída.

CAPÍTULO 19

Decrepitudes, senilidades, vitalidades!

"Estamos na mão do destino como um pássaro na mão de um homem. Às vezes ele nos esquece, olha para outro lugar e nós respiramos. E de repente, ele se lembra de nós, aperta um pouco e nos sufoca."
(Henry de Montherlant, *A rainha morta*)

A cada segundo que passa, envelhecemos. Isso é inerente à condição humana. Há na nossa sociedade, entretanto, uma recusa muito forte à terminalidade.

Contamos hoje com muitas alternativas para tentar deter essa decrepitude: intervenção cirúrgica, condicionamento físico de vários modos, cosmética, tudo aquilo que retarda um fenômeno que é natural, mas que, ao mesmo tempo, é um sonho antiquíssimo da humanidade, o da vida que não cessa. Tanto que essa aspiração atravessa os séculos, está em obras como *O retrato de Dorian Gray*, do irlandês Oscar Wilde (1854-1900), nas histórias da escritora britânica Mary Shelley (1797--1851) sobre um corpo eterno. A diferença é que agora ele vai se tornando mais próximo, como possibilidade de realização.

Hoje, como temos um tempo de vida coletivo mais extenso e mais conhecimento e tecnologia, mais ferramentas para esse prolongamento, isso leva também a outra aflição, a não compreensão do que significam os processos de vida.

A vida está tão veloz que até o menino de 18, 19, 20 anos de idade tem a sensação de que o tempo está passando muito rápido. Onde ele vai se ancorar um pouco?

Essa nossa tentativa de ir em direção a um futuro é que nos leva a grudar no passado. A fixação no passado nos dá a sensação de eternidade. Quando vamos em busca daquilo que já foi ou que simula o que já foi, a percepção é que o tempo parou.

Isso explica, em grande medida, essas ondas retrô, em que há o ressurgimento do disco de vinil, os carrinhos de comida, as peças de roupas de décadas atrás que voltam com viés fashion. Essa onda retrô sugere que aquilo que para nós sempre foi encantador, o bom lugar no futuro, não é mais. Como escreveu Renato Russo, em "Índios"*, "o futuro não é mais como era antigamente". Por isso, vamos encontrar o repouso no passado.

Os avançados são os que mais revisitam o passado. Então, tem a comunidade que degusta cerveja artesanal, a que faz manteiga *ghee*, a que passa horas produzindo o seu próprio filme.

Tivemos os nossos bens de uso produzidos de forma industrial e, de repente, o jovem se encanta com o

---
* "Índios", Renato Russo; EMI-Odeon, 1986.

artesanal. Aquilo feito pela própria mão, produzido com gasto de energia e de tempo. É como se esse jovem falasse ao idoso "esse não é o seu mundo, é o meu". Mas ele transita nele de outro modo, não despreza a tecnologia. Faz cerveja artesanal, mas está em rede, tem a comunidade dele envolvida nessa atividade, eles se encontram.

No que se refere ao corpo, vivemos um tempo de hebilatria muito forte. Na mitologia grega, Hebe era a deusa da juventude. Existe uma preocupação com a aparência que, em muitos casos, beira a obsessão.

Embora haja uma conexão entre cuidar do corpo e ser saudável, o culto à aparência que se observa nos dias atuais seria no máximo uma simulação da saudabilidade. Nós somos tão poluídos – não só no âmbito da ecologia, mas mentalmente poluídos, poluídos nas relações, tão hipócritas, que essa movimentação toda em torno do corpo, me remete a um texto do pensador francês Roland Barthes (1915-1980) em que ele diz "a França tem grande desejo de limpeza".

Nesse texto, ele mostra como a indústria de produtos de higiene, a partir dos anos 1950, começou a investir na noção da profundidade, em alusão às reentrâncias do corpo, aos nossos cheiros que precisam ser escondidos. E passou, especialmente, a usar uma terminologia na publicidade sobre as essências – aquilo que é essencial, aquilo que não é descartável. Barthes termina o texto dizendo que o sabonete, o aroma (se fosse agora, seria a retirada dos pelos do corpo masculino e feminino, a capacidade de uma assepsia exagerada, de uma vitalidade exagerada) indicam que "a França tem grandes desejos de limpeza"; ele se referia a uma época em que o país ainda mantinha colônias e estava começando a guerra com a Argélia.

Isto é, o apodrecimento interno é tão significativo que há a necessidade de nos expressarmos de outro modo: o cabelo pintado, a unha cuidada, uma necessidade de ter uma autoria sobre si, que é o próprio esculpir-se. Quase como se anunciasse: "Meu corpo me pertence e ele é saudável" ou "ele é sarado". É bem curioso o uso dessa palavra nesse sentido. Na origem, "sarar" vem de *soteros*, que significa curar, salvar. *Salutis*, de onde vem a ideia de saúde, de salvação e de saudação, que também faz sentido nesse contexto exibicionista: "Olhem-me como sou saudável".

Para ter um corpo sarado – que é uma coisa boa –, é preciso fazer escolhas, abdicar de outras atividades. A questão está muito atrelada ao senso de medida. Fazer atividade física todos os dias é positivo, promove saúde. Mas há quem faça ginástica de forma obsessiva, em busca de construir um corpo que seja exemplar, invejável, em que o maior objetivo é que possa ser exibido. A pessoa vira o totem de si mesma.

Essa simbologia da propriedade (que pode ser o próprio corpo), dos bens, continua muito metafórica. Não é algo que a pessoa leva para dentro dela como sinal de satisfação. Agostinho dizia "não sacia fome quem lambe pão pintado". A mera imagem não é satisfatória.

Por que as redes sociais são extremamente frutíferas e em muitas situações levam a um entediamento? Porque uma hora deixa de ser vida real.

Eu admiro alguém como Drauzio Varella, que cuida do corpo, da alimentação, que pratica corrida com regularidade. Em momento algum, passa a imagem de alguém exibicionista. Ele expressa a ideia de saúde. E ele mesmo escreveu um livro em que fala do equívoco que cometeu quando deixou de se vacinar e acabou pegando uma doença tropical. Isto é, a mensagem de que não é infalível.

Quando ele diz que não consegue deixar de correr, eu entendo como uma expressão de saúde. E de um equilíbrio elogiável, pois ele ainda cumpre a sua rotina de médico, de grande oncologista que é, de apresentar programa de TV, de escrever livros.

Ele tem um protocolo em que faz a triagem daquilo que é urgente e daquilo que é emergente. Aquilo que é já e aquilo que é depois. É esse o exemplo que devemos entender como a coragem competente, aquela que coloca energia a partir dos seus critérios, da sua capacidade de triar. Saber que não dá para tudo escolher nem nada escolher.

Equilíbrio é fator decisivo nas escolhas do que fazer e na forma de fazê-lo.

De fato, é muito salutar cuidar do corpo, da alimentação, da saúde de um modo geral. Mas é preciso cautela para que isso não vire obsessão e perca a sua natureza de benefício.

É bastante recomendável ter atenção com o alimento, com os componentes que se ingere. Mas, se exagerada, essa preocupação pode gerar uma distorção, um desequilíbrio. A impressão é que, pouco a pouco, substituiremos o cardápio pela bula.

Não há problema algum em checar a quantidade de calorias de um alimento, pois aquela informação serve de referência para dietas. A questão é que está se criando uma ambiência em que aquele que não é obcecado pela forma física teria quase que um desvio de moral.

O sujeito que não se preocupa com a barriga tanquinho (que não é uma coisa negativa) teria um caráter duvidoso. O corpo gordo vira alvo de ofensas. Hoje a mulher "decente", em grande medida, é aquela que é magra.

Há algumas décadas, ser chamado de intelectual era uma ofensa. Quando as forças da repressão invadiram a PUC-SP em 1977, era "vai pra lá, seu intelectual", "vai lá se juntar com os seus intelectuais".

As pessoas, para serem contemporâneas, voltam ao século 16 com seus sinais no corpo, suas tatuagens assemelhadas às de piratas, a desenhos tribais, seus brincos, suas orelhas alargadas.

De modo algum tenho objeção a isso; apenas me causa estranheza essa ambiguidade de, para ser moderno, ser preciso voltar ao passado e, acima de tudo, a possibilidade de se viver nesse envoltório quimérico quanto a decidir sobre a própria vida.

Isso sufoca, como o pássaro apertado na mão do "destino"; a coragem permite escapar dessa agonia!

CAPÍTULO 20

Finitudes infinitas, infinitudes finitas

"Quando morreres, só levarás aquilo que tiveres dado."
(Saadi, *O jardim das rosas*)

Apesar de nos acompanhar na nossa condição de existência, a noção de finitude é afastada no nosso cotidiano. Sabemos que somos mortais, mas esse tema não pode estar grudado em nós o tempo todo. É uma possibilidade no nosso horizonte, mas não podemos ter isso como uma sombra, a ponto de se transformar numa obsessão pelo fim.

A questão é, quanto menos tempo de passado você tem, mais extenso é o futuro de que dispõe. Porque a pessoa só pode avaliar o que tem de tempo por aquilo que já vivenciou.

E mesmo o imediatismo do jovem, em grande medida, resulta de uma falta de reflexão sobre o tempo que passou. Sem parar para refletir, não é possível uma avaliação da minha carga passada. O número de dias que vivi é extremamente significativo para avaliar os dias que viverei ainda. O que são vinte anos numa espécie que pode viver 75? Quando falamos do tempo de vida, é claro que isso é absolutamente abstrato. Essa é uma média.

Uma criança ou um jovem não tem uma percepção muito nítida de que há uma rarefação dos dias que tem adiante, porque há uma sobra muito grande, ela ainda não utilizou aquilo que é entendido como uma média de vida. É como se houvesse um saldo a viver e ela teria ainda muito crédito. Por isso, essa ideia de uma vida que sobrará, ainda que sabidamente finita, predomina.

Nós estamos vivendo dois movimentos. De um lado, nossa vida ficou mais extensa por conta de avanços no campo da saúde, do aumento de consciência dos cuidados em relação ao corpo etc.

De outro lado, a nossa sensação de fragilidade em relação à finitude ficou muito mais nítida. O tempo todo recebemos notícias que têm relação com o fim. A pessoa vitimada no assalto, no trânsito, numa enchente. Não é que isso não existia antes, mas não se tinha tanta notícia e de modo quase que instantâneo. Hoje, pelo celular, é clicar e ver quem morreu, os acidentes, os assaltos, os extermínios de espécies, o perigo de guerras etc.

A geração pós-1945 não é chamada de *baby boomer* à toa. Nós somos filhos de uma geração que tinha certeza de que a vida terminaria logo. Eu nasci nove anos após as bombas de Hiroshima e Nagasaki. Qual o impacto disso para mim? Quase nenhum. E para os meus pais? Todos.

Foi uma geração muito impactada por esse acontecimento e passou a questionar: "Como vamos gerar crianças, construir uma casa, uma carreira para tudo se acabar de um momento para outro?".

O que isso tem a ver conosco? Muito. A ideia de aproveitar a vida até o último instante nos remete a um ambiente assemelhado ao pós-guerra quanto à segurança, ao acesso ao alimento, à possibilidade de extinção.

Qualquer criança que esteja acompanhando o noticiário na TV ouve que a qualquer momento pode eclodir um combate nuclear. Fora a questão ambiental, que está muito mais crítica.

Por que eu digo se tratar de um duplo movimento? Quanto mais estendemos o nosso tempo de vida, mais ficou perigoso viver.

Não é que a vida tenha ficado mais difícil. Ao contrário, é que hoje as ameaças das quais nós temos consciência são muito mais numerosas. A santa ignorância é santa quando nos protege de noções que não necessariamente precisaríamos ter.

Quem vive numa cidade como São Paulo e resolver sentar-se às 17h para acompanhar os programas policiais poucas vezes não pensará em dar cabo da própria vida ou "vou fazer o que der na telha, não quero nem saber, para quê? Tô andando, o sujeito me mata, o caminhão bate em cima do viaduto e quem estava passando morre".

Histórias como essas sempre aconteceram: era o cavalo que machucava alguém, o raio que fulminava alguém no campo, a casa que desabava, só que não sabíamos nessa dimensão que sabemos hoje.

Atualmente essa cronologia sofreu uma modificação. Há uma razão para isso. Exemplo: meu pai e minha mãe namoraram durante sete anos, uma parte desse tempo por carta. Meus pais sabiam um do outro a cada dois, três meses ou uma vez ao mês, na ligação telefônica, que era pedida à telefonista e levava doze horas para ser completada. Quando eu nasci, meus avós paternos moravam em Santa Cruz do Rio Pardo (SP). A chance de eles saberem que eu estava com febre, por exemplo, era muito pequena.

Agora a informação é imediata. Por meio das ferramentas de comunicação digitais, a toda hora estou sabendo o que se passa com um familiar. Hoje a informação "o Mario Sergio quebrou o joelho" demora segundos para circular em grupos de parentes, e toda essa comunidade passa a ajudar, palpitar, orar. Isto é, eu tenho muito mais preocupação com meus filhos e netos hoje do que meus pais e avós tiveram comigo. Não que eles não fossem preocupados comigo, mas tinham menos informação do que nós temos agora, e isso alterou, em grande medida, a quantidade e a qualidade da dedicação.

Nessa hora a postura é: "Finjo eu que as coisas não existem? O que eu tenho com isso?". Não. É o contrário. Preciso ser seletivo. O que posso fazer para mudar efetivamente uma situação e com o que só estou preocupado, mas não tenho como mexer.

Se eu posso fazer alguma coisa para ajudar alguém ou mudar uma condição qualquer e não fizer, vou sofrer por omissão. Se aquilo que puder fazer eu realmente for fazer, vou me alegrar pela iniciativa. Se eu nada puder fazer com aquilo que está à minha frente, porque está fora do meu alcance, eu não posso sofrer com isso, exceto pela compaixão. Isto é, pela solidariedade afetiva virtual.

Há pessoas que passam horas e horas diante de noticiários sofrendo com coisas sobre as quais elas não terão nenhum tipo de intervenção.

Elas não têm o que fazer com aquilo. Apenas vão se enchendo de informações e nada podem fazer. Uma parte dos programas de televisão exibe de maneira contínua violência, brutalidade, criminalidade, embora eles tenham como ponto de partida a possibilidade de servir de alerta e informar a sociedade, há um momento em que essa exposição excessiva tem o mesmo efeito de quando se está em uma guerra. O primeiro morto é chorado, o segundo também, no terceiro ainda há desespero... no décimo, passa-se pelo corpo.

Isso significa que somos seres indiferentes? Não. Trata-se da habituação com coisas com as quais não poderíamos nos acostumar.

Embora tenhamos uma vida que seja mais estendida, ela também é recheada de notícias e ameaças que se fazem muito mais presentes.

Numa analogia meio fantasiosa, seria o mesmo que no tempo das cavernas – em que se convivia com animais muito mais perigosos, como tigre-dente-de-sabre e outras feras – houvesse um painel que acompanhasse a movimentação dos predadores do lado de fora. Qual seria a sensação? "Vou aproveitar a vida aqui dentro o máximo que puder, porque, se eu sair, pode ser uma vez só."

Essa ansiedade faz com que a anteriormente citada frase dos nossos avós "não há mal que sempre dure nem bem que nunca se acabe" seja relativizada. Porque hoje temos notícias contínuas sobre males que duram muito e bens que acabam rapidamente. E também essa instantaneidade da existência, a fugacidade da fama, a rapidez que se vai da notoriedade para o ostracismo.

Não estou falando isso para voltarmos ao passado, mas para olharmos as circunstâncias à nossa volta que nos colocam num modo desesperado.

Por isso, é preciso insistir num ponto: não é o destino que constrói as minhas rotas, mas há casualidades sobre as quais eu não tenho ingerência. É o lugar do imponderável, a enfrentar com coragem.

Legado e legados

O estupendo poeta português Fernando Pessoa (1888--1935) lembrava que o homem é um cadáver adiado. A ideia da morte não é uma possibilidade, uma hipótese, ela é um fato. O filósofo grego Epicuro (341-270 a.C.) formulou uma ideia muito forte sobre a nossa relação com o final da vida: "Eu não temo minha morte por uma razão básica, enquanto eu existo minha morte não existe e quando ela existe eu não existo, portanto, nós nunca vamos nos encontrar". Já o cineasta norte-americano Woody Allen tem uma visão um tanto quanto peculiar do momento derradeiro: "Eu não tenho medo da morte, apenas não quero estar lá quando isso acontecer".

Costumo dizer que não é a morte que me importa, porque ela é um fato. O que me importa é a vida que eu levo enquanto minha morte não vem. Qual a razão? Para que eu não a desperdice, não a torne absolutamente inútil. O grande poeta gaúcho Mario Quintana escreveu, e assim comecei o livro *Por que fazemos o que fazemos?*: "Um dia... Pronto... me acabo. / Pois seja o que tem de ser. / Morrer: que me importa?... O diabo / É deixar de viver!". E deixar de viver não é ser só a perda do corpo, da vida como matéria. Deixar de viver é deixar de cultivar a esperança, a amorosidade, a tolerância, a dignidade. É morrer em vida. Viver em paz é viver com a certeza de que não se está desperdiçando a existência. Isto é, esse estupendo mistério que é a nossa vida, da qual nós fazemos parte sem ter clareza até das razões, esse mistério não pode ser colocado fora, não pode ser uma existência inútil.

Nessa hora, eu gostaria de fazer falta. Claro, eu quero fazer falta para aqueles que comigo partilham a vida. Eu sou e trago comigo muita gente com quem convivi e compartilho. O poeta Carlos Drummond de Andrade dizia: "Ando pendido do lado esquerdo, porque carrego no meu coração todos os meus mortos". Ele não está falando isso de maneira mórbida, está chamando a atenção para a importância daqueles que carrega com ele. Aqueles que tornaram a vida dele mais pulsante e significativa, que, em certo sentido, o fizeram se reinventar. Isso significa que, quando eu sou uma existência, sou também aquilo que comigo deixaram e fizeram. Portanto, aquilo que eu faço e deixo marcado em outras pessoas.

Ensina bem a filósofa mineira Terezinha Rios: "Nós não somos imortais, mas podemos ser eternos".

Porque a mortalidade é um fato para todo ser vivo. A eternidade você garante na sua trajetória, naquilo que realiza, na relevância dos atos que pratica, naquilo que é o seu legado, a sua herança.

Só existe um jeito de ficar: é ficar nos outros. Ficar marcado em outras pessoas. É nisso que a gente ganha importância. No dia em que eu me for, eu quero ir em paz. E a única maneira de eu ir em paz é ter vivido uma vida que eu vá trilhando, vivendo e construindo importância na amizade, no afeto, na profissão, na política, na docência, tudo aquilo que é a minha vida.

Em quanta gente eu consigo ficar e quanta gente em mim fica. Nesse sentido, a minha relação com o outro é uma relação de partilha.

Uma das palavras de que eu mais gosto é partilha, a vida partilhada, o afeto partilhado, o conhecimento partilhado. A partilha da oportunidade, da competência e do legado; com coragem!

Leia também

Editora Planeta Brasil | 20 ANOS

Acreditamos nos livros

Este livro foi composto em Adobe Garamond Pro e Bliss Pro e impresso pela Gráfica Santa Marta para a Editora Planeta do Brasil em agosto de 2023.